살라리오 미니모

SALARIO MÍNIMO

KB026407

살라리오 미니모
SALARIO MÍNIMO

안드레스 펠리페 솔라노
Andrés Felipe Solano
이수정 옮김

This book has been supported by The Minstry of Culfture of Colombia.
이 책은 콜롬비아 문화부의 지원을 받아 출간되었습니다.

제가 사는 서울 해방촌의 한 골목에서 몇 걸음을 내려가면 시멘트로 된 계단이 나옵니다. 그 계단을 따라 솟아 있는 벽의 끄트머리에는 작은 흰색 문이 하나 있는데, 언제나 자물쇠로 굳게 잠겨 있어 창고 정도로 생각했습니다. 초여름을 앞둔 어느 날 오후, 그 문이 열려 있었습니다. 안쪽에서는 음악이 흘러나왔죠. 그 앞을 지나며 곁눈질로 슬쩍 보니 벽에는 옷 몇 벌이 단출하게 걸려 있고, 사람 그림자가 보였습니다. 바로 붙어 있는 옆집의 주인이 사용하지 않는 물건을 넣어두는 곳이라고 짐작했으리만큼 좁다란 공간에서, 침대에 앉은 한 남자가 양말을 개면서 노래를 흥얼거리더군요. 거기에는 사람이 살고 있었습니다. 얼마나 오래 그곳에서 살았을지 가늠해보려고 했습니다. 문득 15년 전, 메데인에서 보았던 닮은 광경이 기억났습니다. 메데인은 「나르코스」(2015-)라는 드라마 덕분에 저의 한국 친구들마저 주인공이 내뱉던 욕을 재미로 흉내 낼 정도로 유명한 도시가 되었지만, 저는 메데인이라는 이름에서 무자비했던 콜롬비아의 1990년대를 떠올리지 않을 수 없습니다.

지금도 명확하게 누구라고 특정하기가 무서울 정도로 극악한 마약업자들이 설치한 폭탄 차량이 길거리에서 수시로 터지던 시절이었습니다.

2007년의 어느 하루, 저는 바로 그 도시에 자리 잡은 독신 노동자들이 주로 모여 살던 지역을 찾아가 값싼 셋방을 알아보고 있었습니다. 한 건물에 들어가 집주인을 따라 둘러보며 복도를 지나던 중에 우연히 문이 열려 있던 방의 내부를 들여다보았습니다. 벽에는 옷 몇 벌이 걸려 있었고 한 남자가 침대에 앉아 있었습니다. 윗도리를 벗고 있던 남자가 낮은 음성으로 노래를 흥얼거리며 냄비째 식사하던 풍경이 생생합니다.

가난한 두 남자. 둘 다 독신이지만 한 명은 콜롬비아인이고 다른 한 명은 한국인입니다. 어쩌면 그 둘은 젊었을 때 지구 반대편에 있는 비슷한 공장들에서 각각 일했던 경험이 있을지도 모르겠습니다. 제가 6개월 동안 살았던 삶처럼요. 그들과 다른 점이라면 저는 책을 쓰기 위해 그 삶을 선택했었다는 것이고, 이전의 삶으로 돌아왔다는 점입니다. 물론 돌아온 삶은 엄밀히 말해서는 이전과 같지 않았습니다.

이 책을 그 남자들, 그 여자들, 세계 곳곳에 흩어져 있는 그들에게, 고된 공장일과 아무것도 꿈꿀 수 없는 임금 속에서도 초여름 오후 가만히 노래를 흥얼거리는 그들에게 바치고 싶습니다.

2022년 5월
안드레스 펠리페 솔라노

여정이 시작된다. 수도승처럼 맹세한다. 가난을 참고 신념을 지키리라.

서른 살. 메데인에 오기로 결심했다. 보고타에서 나고 자란 이래 줄곧 거기서 공부하고 일했다. 내가 잘 아는 도시라곤 보고타뿐이다. 한 잡지사에서 맡긴 기획기사가 출발점이었다. 최저임금으로 6개월 살기. 어째서 한다고 했을까? 수입도 나쁘지 않고 살기도 편한 보고타를 무슨 이유로 떠나겠다고 했을까? 잘 모르겠다. 꽤 오랜 시간, 프리랜스 기자로 이런저런 일을 해온 내 모양새가 점점 견디기 힘들었는지 모른다. 이 결심은 과거 다른 시대, 다른 나라에서 태어나 장성한 청년, 참전을 앞둔 병사의 심정을 닮았다. 일종의 전쟁을 치러내고 싶다. 허나 닥친 현실은 전혀 모르는 도시에서 최저임금을 받으며 6개월을 버텨야 한다는 과제다. 어떤 공간에서 살게 될지, 친구는 만들 수 있을지, 여자친구는 사귈 수 있을지 따위는 알 수 없다. 지금 내게 주어진 건 비상 연락처 하나와 투토콜로레(Tutto Colore)라고 불리는 아동복 공장에 취직했다는 사실뿐이다. 이탈리아 억양을 흉내 내본다. "뚜우또− 꼴로오레−" 모든 색상이라는 뜻이다. 앞으로 펼쳐질 공장노동자의 무채색 삶과는 동떨어진 사명이다.

기획기사를 쓰기 위한 조건은 엄격하다. 신분을 숨

긴 채 일할 것. 그 누구도 진짜 정체를 알아서는 안 된다. 이 회사에서 받는 급여로만 살 것. 월세, 식비, 교통비까지 모조리 이것으로 해결해야 한다. 원래 가지고 있던 돈과 물품은 전부 보고타에 두고 온다. 위기의 순간이 오더라도 은행 계좌에서 돈을 찾을 수 없다. 가족에게 도움을 요청해서도 안 된다.(비상시 연락을 위해 가족 통화용 핸드폰은 주어졌다.)

여행가방 안에는 옷가지와 치약 몇 개, 비누 몇 개와 데오도란트 세 개, 칫솔 두 개가 들어 있다. 딱 이것들까지만 예외로 할 것이다. 가정에서 드는 생활비 중 욕실용품이 가장 비싸다. 이것만으로 벌써 월급 6분의 1을 써버렸다. 지갑에는 카드 크기의 달력을 넣었고, 거기에다 정직한 사칭자로 사는 하루하루를 표시할 것이다. 내가 아닌 나로 살아갈, 그리하여 그 끝에는 누가 있을지 알게 될 6개월의 여정이 시작됐다.

$

어제 이곳으로 오던 길을 떠올리고 마음이 복잡해졌다. 메데인에 오고, 하루가 지났다. 머리를 깔끔하게 묶고 얼굴에는 미소를 띤 항공사 직원이 혼자 떠나는 여행을 응원하듯 비행기표를 일등석으로 바꿔주었다. "공장노

11

동자인걸요."라고 얘기하려다가 말았다. 아직은 아니니까. 좌석번호 1A. 일등석은 처음이다. 버스를 탔다면 구불구불한 나선형 도로를 열 시간은 달려야 도착할 거리를 30분 만에 왔다. 앞으로의 6개월을 위한 마지막 특권이었다고 해두자.

2007년 3월 4일. 무더운 일요일이다. 지금은 한 지인의 집에서 지낸다. 예전에 내가 쓴 기사들을 읽고 코멘트를 이메일로 보내주던 사람이다. 메데인에 도착하자마자 그에게 연락해 내 계획을 알렸다. 다른 사람이 되는 것. 그는 내 두 번째 삶이 시작되기 전까지 기꺼이 침대와 아침 식사를 제공하겠다고 한다. 메데인에서 내가 누군지 아는 사람은 그와 내가 일할 공장의 관리자, 둘뿐이다.

시내의 한 술집에 앉아서 《엘 콜롬비아노》의 광고면을 살폈다. 이 도시에 오기 전에 읽었던 책이나 여행 안내서에서 들어본 바 있는 동네의 하숙집 광고 몇 개에 동그라미를 쳤다. 메데인은 10여 년 전 휴가 중에 하루이틀 머문 게 전부다. 벽에 붙은 온도계가 32도를 가리킨다. 코트를 입지 않아도 되어서 간편하다. 보고타는 지금쯤 추워서 코트 없인 못 다녔을 텐데. 순진한, 아니 멍청한 소리처럼 들릴지 몰라도 메데인을 택한 이유는 이곳의 온화한 날씨라면 덜 고될 것 같아서였다.

부에노스아이레스에서 사는 게 오랜 꿈이었는데, 어떤 의미로는 이루어질지 모르겠다. 메데인에 아르헨티나 수도 이름을 딴 동네가 있던 것이다. 독신 남자들이 주로 사는 고시원이 몇 있는 지역이었다. 아란후에스와 만리케에 위치한 집들도 몇 개 찍어뒀다. 20세기 중반, 섬유산업이 번성하던 시절에 형성되어 노동자들이 모여 살기 시작한 공단 지역들이었다. 신문 위에 주사위를 던지는 것 같다. 결과가 어떨지 도무지 알 수 없다. 확실한 건 돈이 시키는 대로 해야 한다는 것. 그러므로 나의 선택 기준도 간단하다. 매달 48만 4500페소(한화 약 25만 원)를 벌 테니 집세로 15만 페소 이상을 써서는 안 된다. 나머지 급여는 식비와 버스비로 쓸 것이다. 여유가 남을까? 주말 보낼 것까지 생각하면 매달 12만 페소는 들 것 같은데. 아이스크림, 맥주, 영화, 춤추는 술집. 세상 사람들 대다수가 삶의 일부로 여기는 것들을 생각하면……. 최저임금을 받는 처지로서는, 아이 없는 독신에다 건강한 신체, 알아서 꾸려나가시는 부모님, 이 정도 조건이면 불평할 수 없다.

신문을 덮었다. 오후가 되었다. 술집에서 나와 저녁을 때우려고 주변에서 가장 저렴한 식당을 찾았다. 새 삶이 시작된 것 같았다. 첫 달을 위해 은행 계좌에 딱 한 달 치 최저임금에 해당하는 돈을 남겨뒀다. 그게 전

부다. 숙소로 돌아와서 신문에 표시해둔 집들을 검토했다. 림보의 상황이 끝나기를 바라며 잠에 들었다.

$

메데인에서 싼 방을 구하려면 선택지가 별로 없다. 월요일이었던 어제, 내 예산에 맞는 방들을 몇 군데 둘러봤다. 오늘은 만리케에 있는 방 정보를 체크하고, 이사할 마음으로 찾아가보았다. 네 벽의 칠이 벗겨져 있는 2평 공간이었다. 부엌은 절반 정도 설치되려다가 만 듯했고 욕실에는 커튼이 없었다. 방 안의 전구는 이전 세 입자가 모두 빼갔고, 남아 있는 거라곤 포르노 잡지와 그을린 냄비 하나뿐이었다. 방문 앞 뜰에는 작은 빨래터가 있었다. 세 들어 사는 독신 남자들이 더러운 옷을 비벼 빤 다음에, 멋대로 구부러진 철삿줄에 널어놓는 곳이었다. 뜰 위로는 아름다운 열대 나무가 그림자를 드리웠는데, 나무를 감싼 덩굴들만 봐도 오랜 세월이 짐작되었다. 이 주변에서 유일하게 위협적이지 않은 존재였다. 나에게 방을 보여준 깡마른 남자는 상의를 걸치지 않은 채, 슬리퍼 차림으로 나를 맞으면서, 복도에 있는 공중전화는 사람들이 하도 그 안에 든 동전을 털려고 하는 바람에 고장이 나버렸다고 알려줬다. "여기

사람들은 존중이라는 걸 몰라요. 밤에 옷 걸어두지 마쇼, 다음 날이면 당신 옷이 아닌 게 될 테니까." 내 속옷을 누가 가져갔는지 찾으려고 옆방 문을 두드리는 상상은 전혀 즐겁지 않았다. 결국 종이에 적어둔 비상 전화번호를 꺼내고 말았다. 이곳에 오기 전 동료 기자에게 받은, 메데인의 여자 공무원 연락처였다. 혹시라도 방 구하는 데 어려움이 있으면 전화해보라고 건네준 번호였다. 벌써 며칠째 허탕인데 곧 공장에도 나가야 한다. 공장 첫 출근을 임시거처에서 하고 싶지는 않다. 그에게 연락해 볼 때다.

전화를 걸었다. 그렇게 로사리오 모랄레스가 나의 삶에 등장했다. 두 시간이 채 되지 않아 로사리오는 친구가 사는 집의 방을 하나 구해주었다. 그 집은 메데인 동북쪽에 있는 산타이네스에 있었다. 산타이네스에 있는 3구역은 2000년까지 메데인의 주요 범죄집단들이 모여 살던 곳이다. 그 범죄집단 중에는 라테라사(La Terraza)라는 조직도 있는데, 이들이 고용한 청부살인자만 해도 3000명쯤 됐다. 거처를 옮기기로 한 곳은 그런 곳이었다. 정확하지는 않지만, 전쟁의 무대와 같은 그곳이라면 내가 찾던 것을 발견할지도 모른다.

$

일주일 뒤 나는 문 없는 방에서 지내게 되었다. 베일 천으로 나뉜 공간 바깥쪽에는 식탁과 주방이 있는데, 당황스러울 정도로 근사했다. 메탈, 유리, 나무가 적절히 섞인 주방은 모델하우스의 견본을 그대로 뜯어다가 짓다 만 집에 붙박아놓은 것만 같았다. 얼마나 들었냐고 물어봤다. 건방진 질문이었다. 키가 150센티미터쯤 돼 보이는 집주인 필라르 비야 여사는 다정한 말투로 자기 딸이 200만 페소를 들여서 설치한 것이라고 했다. 근방에서 가장 고급스러운 주방을 가진 이 집은 산꼭대기 땅을 쟁탈하듯 주택들이 들어선 구역에 뿌리내리고 있었다. 이 동네의 이름은 성녀의 이름에서 따온 것이다.

이름에 신경이 쓰인다. 이곳에 세례를 거행한 사람은 그 성녀가 순교자였다는 사실을 알고 있었을까? 산타이네스, 즉 이네스 성녀는 신앙을 이유로 귀족 출신 남자의 구혼을 거절했다가 고발당한 죄로 매음굴에 던져졌다. 이네스 성녀의 순교 기록에 따르면 나체로 쫓겨났음에도 머리가 길게 자라 온몸을 가릴 수 있었으며, 자신을 음탕하게 쳐다보다가 눈이 먼 남자를 위해 기도를 올려 그의 눈을 다시 뜨게 해주었다. 그렇게 여러 차례의 기적으로 매음굴에서도 동정을 유지하지만, 사형

21

을 선고받아 참수형으로 순교한다.

나는 그 뒤에 이네스 성녀만큼이나 잔인한 시절을 보낸 이 동네의 젊은이들 이야기를 듣게 되었다.

비야 씨 가족의 집에서 살게 된 첫날 밤에 메데인의 지도를 펼쳐 내 방 벽에 붙였다. 다이얼로 채널을 돌리는 TV의 설명서를 읽은 후엔 침대가 단단한지 누워서 체크했다. 텔레비전과 침대 두 가지가 나의 새로운 삶에 결정적인 역할을 해주리란 걸 처음부터 알았던 것 같다. 이제 공장에 출근한 지 일주일에 지났고 역시나 TV와 침대는 현실에서 무엇보다 소중했다. 다시 첫날 밤. 나무로 된 옷장에 보고타에서 가져온 티셔츠 네 장과 바지 세 벌을 걸었다. 방 한구석엔 신발 두 켤레와 슬리퍼를 놓아뒀다. 그다음엔 침대에 앉아 지도를 살피며 나의 새로운 집이 정확히 어디에 있는지를 파악했다. 필라르 비야 여사가 그려준 별표가 보였다. 지도에 집의 위치를 표시해주면서, 여사는 나에게 특별히 좋아하는 음식이 있냐고 물었다. "프리홀레스요. 프리홀레스를 정말 좋아합니다." 감동한 사람의 미소를 지으며 대답했다. 내가 어떤 음식을 먹는지 누군가가 신경 써주리라곤 기대하지 못했기 때문이다. 그보다는 퇴근 후에 매일 저녁 식사를 직접 만들어 먹을 각오를 하고 있었다.

그날 밤에 있던 일은 이게 다가 아니다. 필라르 여

사와 딸인 앙헬리카를 만나자마자 내릴 수밖에 없었던 결정이 있다.

보고타에 있을 때, 메데인에 도착하면 독신 남자가 주로 거주하는 구역에 작은 방을 구해 살 거라고 예상했다. 하지만 실제로는 한 가족의 채광 좋은 집에 세 들었다. 누군가에게 내 정체를 알릴 계획은 없었지만, 매일 집에서 마주치게 될 집주인과 그분의 딸을 처음 만난 순간, 이들을 속일 수는 없다는 걸 깨달았다. 한 식탁에서 같이 밥을 먹고 이들의 욕실에서 샤워하며 가족이 같이 쓰는 찻잔에다 커피를 마시고 이 집 베란다에서 담배도 피우는 사이가 될 내가, 누구고 여기에 왜 오게 되었는지 어떻게 말하지 않을 수 있단 말인가. 하루에 적어도 두 시간은 진짜 나로 돌아와 제정신을 잃지 않고 누군가와 정서적으로 연결된다는 것이 얼마나 중요한지를 알았다. 그래서 그날 밤에 나는 사실 보고타에서 온 기자이며, 기획기사를 쓰기 위해 메데인으로 와서 6개월 동안 최저임금을 받고 일할 예정이라고 말했다. 앙헬리카는 그다지 놀라지 않은 눈치였다. 안티오키아 대학에서 언론학과 사회커뮤니케이션학을 공부하고 있었기 때문이다. 필라르 여사에게는 내가 그저 좋은 청년이란 걸로 충분한 듯했다. 그렇게 나의 카드패를 모조리 보여준 후, 본격적으로 그 집에서의 삶을

1   Ranchera. 목동의 노래라는 뜻. 마리아치 음악과 함께 멕시코의 주요한
     음악으로 손꼽히는 시골풍 대중음악.
2   Merengue. 도미니카공화국 전역의 대중음악. 북부 지역인
     시바오(Cibao)가 메렝게의 요람이자 핵심이며, 푸에르토리코와 뉴욕과
     카리브해 연안까지 인기가 미치는 장르.
3   VaIIenato. 콜롬비아의 대중 민속음악. 이름은 계곡에서 태어났다는
     의미로, 구체적으로는 콜롬비아 북동부의 계곡을 이른다.

시작했다.

물론 공장에서는 단 한 순간도 가면을 벗지 않았다.

$

투토콜로레에서 일하는 100여 명은 내 존재를 눈치채지 못한다. 그저 열 시간 동안, 앉을 새도 없이 주어진 업무를 실행하고 최저임금을 받는 또 한 명의 창고 직원일 뿐이니. 회사에서 지낸 처음 몇 주 동안 반복한 말이라곤 "네, 반장님.", "아니요, 반장님.", "지금 바로 하겠습니다." 같은 단문 몇 마디에 불과했다. 그러는 동안 황새치처럼 민첩하게 움직여 2층 내 자리로 이동하는 법을 배웠다.

나는 매일 옷이 담긴 봉지를 우주선 속 늑골처럼 생긴 철제 선반에 보관한다. 아동용 티셔츠와 스웨트셔츠, 여아용 드레스와 신생아복 재고를 학교 매점 식탁만큼 긴 탁자 위에 올려놓기도 한다. 반장이 내리는 지시는 수도승처럼 겸허히 받아들이게 되어 있는데, 이 신경질적인 인간은 나와 동료들이 근무 중에 음악 듣는 것을 금지해버렸다. 공장의 다른 층에서 일하는 직공들은 란체라[1]나 메렝게[2], 발라드, 바예나토[3]를 들으면서 스트레스를 푼다. 우리만 사운드트랙 없이 일한다고 생

28

각하니 비참하다.

　근무는 오전 6시 45분에 시작된다. 바로 그 시각에, 콧수염이 난 대머리 경비원이 굶주린 여우 같은 눈빛으로 아침 인사를 대강 건네며 출입문을 열어준다. 입구에서 내 이름이 적힌 노란 카드를 찾아 작은 금고처럼 생긴 금속 시계의 홈에 밀어 넣는다. 딸깍, 족쇄 같은 불쾌한 소리는 아침마다 나를 옥죄는 것 같다. 오후 5시, 퇴근의 순간에는 똑같은 소리가 화음으로, 자유의 노래로 들리지만. 그렇게 공장의 노동자들이 햇살 속으로 되돌아간다. 공장에서 출근 카드를 찍을 때마다 하루에 값을 매기는 기분이 든다. 내 하루는 1만 4500페소다.

　오전 7시가 되기 전에 49번 사물함에서 작업복을 꺼내고, 유일하게 남자 소변기가 있는 2층 끝 화장실에서 옷을 갈아입는다. 다른 화장실은 같은 층 최종 작업반에서 근무하는 여자들이 사용한다. 위층에 있는 재봉틀 기계에서 나온 옷에 하자가 있는지 검수하고 개켜서 포장하는 일을 맡은 이들이다. 그중 한 명이 공장 제일의 미녀인데, 체크무늬 가운을 두른 채로 블라우스나 바지, 원피스 따위를 검수하는 집중력은 투우사에 버금간다. 기혼이다. 내 옷차림으로 말하자면 간단하기 그지없다. 첫날 반장이 준 파란 셔츠는 깃이 높고 두꺼워

29

서 첫 주 내내 목을 조였고, 시내에서 1만 5000페소를 주고 산 청바지는 편하긴 해도 밑위가 지나치게 길다. 거기에 낡은 신발 한 켤레까지. 이 복장으로 온갖 지시에 따르고 열 시간에 걸친 근무를 버티는 동시에, 비밀 업무를 위한 정보 수집을 병행하고 있다.

$

매일의 일상이 무서울 정도로 똑같이 반복되는 몇 주를 보냈다. 그사이 밤마다 나의 방은 지리 수업이 있는 교실로 변했다. 오늘은 공장에서 돌아와, 등에 가벼운 통증을 느끼면서 벽에 붙어 있는 지도를 살펴보기 시작했다. 지도에는 도시 내 250개의 공식 행정 구역이 표시되어 있다. 지도에서 도시가 끝나는 지점은 내가 있는 곳으로부터 동쪽으로 스무 블록 떨어진 곳이다. 그 너머는 모조리 녹색으로 칠해져 있다. 1970년대, 계급 차별이 고스란히 드러난 건설법이 적용되던 그 시기에 산꼭대기 지역에서 산타이네스라는 동네가 태어났다. 당시 법에 따르면 메데인의 부유층이 모여 살기 시작하던 포블라도에는 가구당 최소 대지 면적을 360평으로 제한을 두어 쾌적한 주거 구역이 만들어지게끔 했다. 반면 동북 구역의 최소 대지 면적은 27평에 불과했다.

필라르 여사가 건네준 깨끗한 세탁물을 정리한 후, 위층으로 올라갔다. 한때 앞집들처럼 노출된 벽돌과 콘크리트 바닥이 다 보였던 이 집의 옥상에서, 지도에 표시된 것처럼 푸르기만 한 지역이 있는지 궁금했다. 하지만 보이지 않았다. 아연판과 나무로 지어진 막사 같은 집들이 길게 늘어져 있는 것밖에는. 올해 비가 너무 많이 내려 산사태로 모조리 매몰되었다던 열다섯 채의 집과 비슷한 건축물들이다. 그 산사태로 망가진 집들을 합치면 실제로는 3만여 가구에 가깝다고 했다. 메데인에서 산사태의 위험에 가장 많이 노출된 집들이 죄다 저 구역에 모여 있다. 내가 가진 지도에는 표시되어 있지 않은 곳이다.

옥상에서 내려온 후, 지도 제작자와 현실 사이의 괴리에 실망하면서 첫 급여를 받으면 무엇을 할지 생각했다. 비상시에 가족들이 내게 연락할 수 있도록 챙겨왔던 선불 휴대전화의 계산기로 숫자를 맞춰봤다. 월세로 필라르 여사에게 25만 페소를 지불해야 하는데, 원래 생각했던 방세보다 10만 페소나 더 내는 거지만 여기에는 하루 세 끼 식사와 세탁비, 다림질이 모두 포함되어 있으니까 따지고 보면 훨씬 싸게 먹힌다. 매일 집에서 공장까지 왕복 네 번의 버스를 타는데, 한 번 탈 때마다 1100페소를 내니까 교통비는 매달 8만 8000페소

다. 공장 근처, 버스로 한 번에 가는 동네에 셋방을 얻으면 좋았겠지만, 지금 그런 생각을 해봤자 무엇하랴. 휴대전화의 작은 버튼들을 꾹꾹 눌러가며 계산해본 결과, 매달 나에게 남는 돈은 12만 9412페소다. 여기서 살기로 뒤로 숫자를 대충 보는 것은 용납이 안 된다. 마지막 동전 한 닢까지도 나에게는 중요하다. 생활비를 제한 후 내게 남는 돈은 하루에 4313페소다.

4313이라는 숫자를 생각하며 침대에 누웠다. 난생처음으로 언어보다는 숫자가, 마음보다는 신체가 중요한 기분이 들었다. 공장 일이 고된 만큼 잠이 빨리 들었다.

$

밤에 이 집에서 일어나는 일들을 보다 보니 비야 씨 가족은 세 명이 훌륭하게 공동으로 관리하는 기계처럼 돌아간다. 화사한 미소와 개구쟁이 같은 면을 지닌 40대 필라르 여사가 이 기계에 시동을 걸면, 허리케인 같은 에너지를 가진 붉은 머리의 20대 둘째 딸 앙헬리카가 연료를 집어넣는다. 그러면 필라르 여사의 남편으로 든든한 덩치에 늠름한 목소리를 가진 50대 루벤 씨가 기계를 운전한다. 이 집의 거실에는 가족 구성원 모두의 사진을 모아둔 테이블이 하나 있다. 그중 하나는

4   BoIero. 스페인과 쿠바의 춤곡. 스페인 볼레로는 18세기 후반에 나온
      것으로 추정되며, 왈츠보다 느린 박자다. 쿠바 볼레로는 박자와 장단이
      스페인 볼레로와 상이하며, 쿠바 대중음악의 뿌리를 이루는 트로바의
      바탕이 되었다.

36

이미 빛바랬는데, 사진 속 루벤 씨는 꽁지머리를 길게 드리웠고 나팔바지 차림이라 바로 알아보기가 어려웠다. 메데인으로 온 지 2-3주차쯤 되던 일요일, 루벤 씨에게 처음으로 인사를 건넸을 때 볼레로[4] 가수 같은 풍채에 주눅이 들었었다. 루벤 씨의 콧수염은 잘 다듬어져 있고 짧은 머리는 완벽하게 빗질되어 있다. 게다가 구슬픈 민요를 부르기 직전, 혹은 장례식에서 연설을 앞둔 사람 같은 평정심까지 겸비했다. 그는 이제 장인의 경지에 오른 미장공이며 그 단단한 손으로 동네에서 모두가 부러워할 만한 집을 쌓아 올렸다. 다시 사진으로 돌아와서, 루벤 씨 옆에는 아내인 필라르 비야 여사가 꽃무늬 원피스를 입고 코가 빨개진 채로 서 있었다. 하이힐을 신었는데도, 키가 루벤 씨의 어깨까지밖에 닿지 않았다. 그 옆에 있는 사진은 앙헬리카의 형제인 엘킨과 아니타의 아이들 셋이 해가 내리쬐는 어느 날 옥상에서 할아버지가 바람을 넣어준 간이 수영장에서 노는 모습이 담겼다. 다른 사진들은 가족 중 돌아가신 분들의 흑백 초상들이었고, 테이블 정가운데 가장 큰 액자에 걸린 사진에서는 열다섯 살 생일을 맞은 앙헬리카 비야가 환하게 웃고 있었다. 나의 삶과 비야 가족의 삶은 조금씩 서로에게로 녹아 들어간다. 집 나간 아들이 존재하는지도 몰랐던 고향집으로 마침내 돌아온 느

낌이랄까. 셋방살이를 시작한 지 3일째 되던 날, 잠들기 전 필라르 여사가 내 방의 베일 커튼을 치면서 밤 인사를 건넸다. "우리 아들, 동정녀께서 지켜주시길." 그때부터 매일 밤, 같은 인사로 하루를 마무리한다.

앙헬리카는 첫 주부터 바로 나의 친구가 되었다. 앙헬리카의 방에는 약간의 허영심을 채워주는 수많은 목걸이와 안티오키아 대학의 졸업장이 걸려 있었다. 우리는 침대에 걸터앉아 함께 데킬라를 마셨다. 앙헬리카는 사회커뮤니케이션학을 전공했고 지금은 같은 대학에서 일한다. 전도유망한 청년이다. 일곱 번째 잔을 비우고서 컴퓨터를 켜더니 이전에 내가 한 번도 들어보지 못한 살사 노래들을 스무 곡쯤 틀었다. 살사라면 나도 조금 안다고 생각했는데. 그러고선 방을 메운 가혹한 사랑의 노래들을 한 곡 한 곡씩 음미하며 따라 불렀다. 나도 조금씩 코러스를 맞추며 분위기에 빨려 들어갔다. 나를 살사 전문 라디오 채널인 라티나 스테레오에 입문시킨 것도 앙헬리카다. 라티나 스테레오는 메데인에서 송출되는 24시간 살사 음악 라디오 채널이다. 나는 그 후부터, 산타이네스의 통풍 좋은 집을 소개해준 로사리오 씨가 빌려준 작은 휴대용 라디오를 어디에 가든 항상 챙겨 다니면서 라티나 스테레오를 들었다.

루벤 씨와 가까워지기까지는 조금 더 시간이 걸렸

다. 볼레로 가수처럼 생긴 루벤 씨는 집을 비우는 경우가 많았다. 메데인을 벗어나 산타페데안티오키아, 세하, 구아타페처럼 외곽에 위치한 농장들을 보수하러 다녔기 때문이다. 하지만 나는 안다. 나를 들인 지 한 달 후, 나의 사진을 가족사진 액자들 사이에 함께 두자며 나머지를 설득한 사람이 루벤 씨라는 걸.

한 달. 벌써 한 달이 지났다. 예전 나의 삶은 조금씩 지워져간다. 그동안, 이 집에서 자신을 침입자로 여기는 건 그만두고 비야 가족이라는 기계를 이루는 부품이라고(딱히 쓸모는 없겠지만) 스스로 믿기 시작했다.

$

이제 나는 더 이상 산타이네스를 찾은 불편한 이방인이 아니다. 비야 가족을 침범한 자로서의 신분을 버리기까지 시간이 조금 걸리긴 했다. 하지만 어느 월요일 아침 6시 5분, 도수가 다른 안경에 농구화를 신고서 커피한 잔과 대마초 한 대로 아침 식사를 대신하는 동네 청년 티그리요가 버스를 기다리는 나에게 인사하면서 손을 꽉 잡은 그 순간, 내가 더는 이곳에서 낯선 사람이 아니란 사실을 알았다. 아침마다 같은 시각에 나는 집에서 두 블록 떨어진 데서 메데인 시내까지 가는 합승 택

시를 탄다. 그다음에는 산안토니오 공원에서 내려서 근무하는 공장이 있는 과야발 단지로 가는 버스로 갈아타기 위해 줄을 선다. 6시 45분 정각에 도착해 출근 카드를 찍는다. 그 시간을 놓치면 일당이 없다. 하루는 7시 직전에 공장에 도착했는데 문을 지키고 서 있던 반장이 나에게 집으로 돌아가라고 했다. 수치스러웠지만 들어가게 해달라고 빌고 또 비는 수밖에. 하루라도 빠지면 생활비에 큰 구멍이 생기고 만다.

티그리요는 몇 주 동안 아침마다 나의 동태를 살폈고, 보이지 않는 선으로 경계가 그어진 라이벌 구역의 갱단으로부터 사주받아 정보를 캐내는 스파이가 아니라는 걸 확신한 뒤에야 비로소 나에게 악수를 청하며 인사했다. 동네의 질서와 정의를 구현하는 유명 인사로부터 인정받는 것은 나에게는 중요한 일종의 쟁취였다. 매일 아침 티그리요는 택시에 합승하려는 사람들의 줄을 군대 대열처럼 정리했다. 당연히 산타이네스의 이쪽 구역에 누가 누구이며 어떤 사람들이 오가는지 살피려는 목적도 있었을 거다. 티그리요는 특정 인물의 눈이 되어주고 있는 게 분명하다.

도로교통법으로 따지자면 불법인 합승 택시는 보통 대당 네 명이 함께 타는데 버스요금보다 200페소 비싸다. 하지만 사람이 미어터지는 버스보다 확실히 빠르

다. 제 시각에 출근 카드를 찍으려면 합승 택시를 이용하는 편이 훨씬 안전하다. 임금은 2주마다 받는데, 한 푼도 허투루 계산해서는 안 된다. 합승 택시를 타기 위해 추가로 드는 200페소를 잊었다간 총 생활비에서 4000페소가 비게 된다. 그리고 그 잊어버린 4000페소는, 일요일의 햄버거 1개와 한 달치 담배를 의미한다. 밤이 되면, 필라르 비야 여사가 차려주신 저녁을 먹은 뒤 옥상에 올라가서 담배를 피우며 골짜기 너머 또 다른 산등성이를 바라보곤 한다. 그곳에도 내가 사는 동네처럼 노동자들이 사는 집에서 새어나온 불빛이 길게 줄지어 있다. 기도 시간처럼, 소베라노 담뱃갑에서 담배 한 개비를 꺼내 피운다. 콜롬비아산 소베라노에서는 바닐라 향이 난다. 나는 보통 이 담배를 메데인 시내 한가운데 볼리바르 광장의 담뱃가게에서 구매한다. 가게 대각선으로는 라곤돌라가 있다. 메데인에서 라곤돌라보다 값싼 식당은 없을 것이다. 점심 한 끼에는 수프와 쌀밥, 프리홀레스, 고기, 거기에 디저트인 마사모라까지 세트로 나오는데, 그렇게 해서 2600페소다. 그 돈이면 딴 데서는 치킨 빵에 탄산음료 정도만 겨우 살 수 있다. 비야 씨네 집에서 살지 않았더라면 주말마다 라곤돌라에 들러서 수프 파스타로 배를 채웠겠지.

티그리요에게서 공식 환영 인사를 받은 이후로 자

신감이 조금 붙어 동네를 혼자 걸어서 돌아 다녀보기로 했다. 1990년대 중후반 산타이네스에서는 구역을 담당하던 갱단이 저녁 6시 이후 통행금지를 선언한 적이 있었다. 6시 이후에 집 밖으로 나오는 사람은 총격을 치를 각오를 해야 했다. 그 후 10년이 지났고 동네는 꽤 평화로워졌다. 갱단 대부분이 사라졌기 때문에, 나도 마음 편히 집 앞 모퉁이 가게에 들러 캐러멜 팝콘 한 봉지를 살 수 있고, 수요일마다 열리는 에어로빅 클래스를 구경하러 세 블록 떨어진 공터의 축구장까지 걸어갈 수 있다. 공장 일이 끝난 후 동네로 돌아와 누리는 새로운 소소한 행복이다. 이제 지도만 바라보면서 시간을 보내지도, 루빅큐브처럼 머릿속에서 삶을 분해했다가 조립하기를 반복하지도 않는다. 그저 마돈나 노래의 리듬에 맞춘 복잡한 안무를 이웃들이 소화하는 풍경을 구경하러 가면 그만이다. 주말에는 아주 피곤하지 않으면 시내로 나간다. 돈을 아껴야 하니까 거기까지 걸어서 간다. 한때는 나였던, 예전 어딘가에 두고 온 그 남자를 기억하려고 가끔 서점에 들르는데, 이러한 의식의 횟수는 줄어들고 있다. 어떤 때는 앙헬리카와 로사리오가 '브리사스데코스타리카'라는 살사 바로 데려가 술을 사준다. 그 둘이 없었으면 난 뭘 할 수 있었을까? 무직의 백수였다면 어떤 기분이었을까? 나는 스스로에게 질문하

47

고, 질문하고, 또 질문한다. 한 달 생활비를 쓰고 나니 남는 돈이 거의 없다. 하지만 공장에서는 어떻게든 하루가 채워지고, 어떻게든 내가 굴러간다. 그것은 참으로 비참한 위로다.

$

딱히 놀랄 일 없이 정해진 일상에 익숙한 채로 3월과 4월을 지냈다. 그러던 어느 날, 급료가 체불됐다. 신발은 불편해졌고 작업복으로 입던 티셔츠는 다시 목을 조여왔다.

집에서 나오기
출근 카드 찍기
작업복 입기
수량 세기
보관하기
상자 나르기
퇴근 카드 찍기
집으로 돌아오기

······의 업무를 고분고분 일흔 번 정도 반복했던 시점이다. 노동절인 5월 1일, 보름마다 지급되던 급여가 늦어

진다는 소식을 들었다. 면도칼과 감기약을 사야 했는데 수중에 있는 돈으로는 하나만 골라야 했다. 부업을 찾아볼까 생각했다. 동료 한 명은 주말마다 노점에서 핫도그를 팔았고, 또 다른 동료는 약국 심부름꾼으로 일했다. 그들은 일주일에 7일, 1년에 52주를 일했다. 그들이 자란 빈민가에는 형님의 '명령'이라는 걸 수행하기 위해 두 달마다 오토바이를 갈아치우던 친구들도 있었는데 이제는 죽고 없다고 한다. 한 명도 남지 않았다는 것이다. 어제 나는 회사의 비서에게 왜 급료가 지급되지 않느냐고 물었다. 비서는 애도하는 듯한 표정을 지으며 말했다. "언제 지급할 수 있을지는 우리도 잘 모르겠네요." 형님의 '명령'이란 걸 수행하다가 빨리 죽는 것보다 공장에서 매일 카드나 찍더라도 살아 있는 게 나은 걸까. 지난 십수 년 동안 메데인에 거주하는 수백 명의 청년에게 선택지는 이 둘뿐이었다. 마약상과 돈을 벌든지, 성실한 노동자로 살면서 면도칼과 감기약을 동시에 살 수는 없는 급료를 받든지. 갱단의 주요 우두머리들은 서로 죽이다가 죽었거나 감옥에 갇혔다. 1991년, 6500명이 잔인하게 죽음을 맞았던 사건도 과거가 되었고 이제 더는 거리에서 폭탄이 터지는 일이 없다. 하지만 여전히 쉬운 돈을 벌게 해준다는 유혹들은 남아 있다. 조금 교묘해졌을 뿐, 사라지지 않고 그대로.

투토콜로레 공장은 메데인 내 산업단지인 과야발의 한 모퉁이에 있다. 도로에는 버스 매연에 새까매진 나무가 있고 주위엔 노엘 제과, 콜롬비아 타바코, 포스토본 음료, 에스트라플라스틱 등 거대하고 강력한 이웃 공장의 굴뚝이 그림자를 드리우며 투토콜로레를 에워싸고 있다. 원래 2층으로 된 낡은 가정집에 있었는데 2년 전에 지금의 5층짜리 벽돌 건물로 옮겨 왔다고 한다. 이 도약 때문인지 회사는 맥을 못 추었다. 20세기 초 메데인에 세워진 여타 초기 섬유공장처럼 이 회사도 한 가문이 소유하고 있으며, 고(故) 에르네스토 아세베도 회장의 다섯 자식이 나누어 경영을 맡고 있다. 집안의 우두머리이자 창업주는 암으로 세상을 떠났지만, 층마다 걸려 있는 액자 속 사진 속에서 살아남아 있다. 수호성인처럼 말이다. 그의 초상 아래에는 묘비에 새길 법한 격언 따위가 적혀 있다.

노동만이 파산에 얽매이지 않는 유일한 자본이다.

5월 2일, 키가 작은 투토콜로레 사장은 여느 때처럼 한 손에 작은 가죽 가방을 들고서(그 안에 무엇이 들었는지는 아무도 모른다.) 급여가 늦어지는 까닭을 설명하

기 위해 직원들을 소집했다. 계단에 나타난 그는 마치 어머니에게 사실은 자기가 입양된 자식이라는 얘기를 들은 사춘기 소년과 같은 표정으로 말문을 열었다.

회사가 창립된 지 이제 30년이 되어갑니다. 그런데 이번이 회사 재정상 역대 최악의 분기예요.

세 아이를 둔 재봉틀 층의 여공이 입술을 깨물었다. 사장은, 꼭 학교 과제를 해치우듯 보름에 총 5000만 페소에 달하는 임금이 지연되는 이유를 읊어대기 시작했다.

철석같이 믿었던 여직원 하나가 수백만 페소를 횡령하는 바람에 회사 재정에 구멍이 났습니다.

나는 몰랐지만 이미 돌고 있던 소문 같았다.

중국이라는 용이 파나마를 통해 값싼 제품을 들여와 우리 목덜미에 숨을 뿜어내고 있습니다.

달러 환율이 6개월 새 500페소나 하락했습
니다.

작년 이맘때엔 1달러에 2300페소였다. 2007년 5월,
현재 1달러는 1800페소다.

이쯤에서 나는 자제가 안 되는 사장의 한 움직임에
집중하기 시작했다. 알아채기 어려운 미미한 경련성 움
직임이었는데 5초에 한 번씩 오른쪽 어깨가 들썩거렸
다. 나의 동료들은 바닥만 내려다보았다. 사장은 초조
한 건지 부끄러운 건지 모를 표정으로 나쁜 소식을 계
속해서 전했다. 보름마다 지급되어야 하는 임금이 늦어
지는 마지막 이유까지 말했다.

거액의 채무자가 있습니다. 상당한 액수를
회사에 지불해야 하는 멕시코 회사가 아직
도 대금을 치르지 않고 있습니다.

여기까지 말하고서 사장은 입을 다물었다. 직원들의 반
응을 기다리는 것 같았다. 동료 한 명이 유일하게 질문
을 던졌다.

내일 버스비가 없는데, 어쩝니까?

57

5   Chocó. 콜롬비아 서부에 있는 주로, 1947년 11월 3일에 신설되었으며
     30개 지방 자치체를 관할한다.

58

먹이사슬에 비유하자면, 투토콜로레는 섬유 산업계의 어떤 고래나 집어삼킬 수 있는 중간 크기 참치에 불과했다. 우리 노동자들은 플랑크톤이고. 급료가 며칠 늦어진다는 건, 내 동료들이 며칠 뒤엔 전기세를 내지 못해 집의 전기가 끊어지고 제대로 된 식사를 할 수 없으며 대중교통을 이용할 수 없는 처지가 된다는 의미였다. 내 경우에는 집주인을 안심시키기 위해 싸구려 농담을 던져가며 집세를 좀 미뤄달라고 해야 할 것이다. 이러한 불행은 비단 투토콜로레만 겪는 게 아니다. 환율 폭락으로 업계 전반이 겪고 있는 문제였다. 올해 상반기에만 비슷한 사이즈에서 일하던 1만 2000명의 근로자가 이미 실직했거나, 해고당하기 전에 먼저 다른 일자리를 찾아 떠났다. 복도에서 한 동료가 나에게 자기는 초코[5]로 가서 철물점을 낼 거라고 했다. 그의 마지막 근무일은 마침 어머니날이기도 했다. 15년 세월을 뒤로하고 공장을 떠나는 그에게 회사가 준비해준 건 케이크 한 조각과 건포도와 럼주맛 아이스크림이었다.

오래전, 수천 명의 정복자가 이 미개척의 땅에 활로를 열었고 위대한 공장의 도시 메데인을 세웠다. 그런데 지금 그 자손들은 일거리를 찾아 축축한 밀림으로 다시 발걸음을 되돌리고 있다.

59

$

배가 고프다. 지금 내 옆에선 설탕을 가득 묻힌 추러스를 팔고 있다. 사 먹고 싶지만, 돈이 모자라다. 집으로 돌아갈 버스비만 딱 남았다. 불확실한 상황이었지만 급여는 며칠 만에 정상적으로 받을 수 있었고, 다행히 내일도 예정대로 임금이 들어온다고 했다. 부디 그러길. 정류장에 줄을 서서 069번 버스를 기다린다. 우리 동네로 돌아가기 위해 3개월 동안 하루도 빠지지 않고 타온 버스다. 일이 끝난 뒤 중심가를 돌아다녔더니 저녁 7시가 되었다. 사람들을 구경하는 것이 좋다. 걷는 사람들, 누군가를 기다리는 사람들, 담배를 피우는 사람들. 베리오 공원에서 취기 오른 뮤지션을 구경하고 후닌 거리에서 당구장과 카페 안에 있는 무성한 콧수염의 은퇴자들을 본다. 산이그나시오 소광장 근처에선 인쇄소를 들락거리는 대학생들을 보고, 카라보보 거리에선 중국산 속옷과 중국산 신발을 파는 상인들을 구경한다. 추러스는 1000페소, 버스비는 1100페소다. 돈을 빌리면 될 것 같은데, 문제는 누구한테 빌리느냐. 공장에서 일하는 우리는 모두 같은 처지다. 월급날 직전엔 단 한 푼도 없는 처지. 나도 벌써 지난 방세를 5일이나 밀려서 지급했다.

임신한 청소년 하나가 추러스 한 봉지를 사서 버스

61

줄에 합류했다. 이제 총 여섯 사람이 버스를 기다린다. 빈 대형 우유 통을 든 노인 하나, 웃으면서 수다를 떠는 중년 여자 둘, 오른쪽 다리가 없는 남자 하나, 청소년 임산부, 그리고 나. 배가 부른 채 교복을 입은 여학생들을 하루에 예닐곱 명은 보는 것 같다.

추러스 냄새가 너무 좋아서 견디기가 힘들어졌다. 노점의 남자가 추러스를 튀기는 모습은 '꾸리아'하다. 꾸리아. 이 지방 사람들은 일에 몰두하는 모습을 두고 고대 로마의 지방 의회를 뜻하는 '꾸리아'라는 단어로 표현한다. 교회라는 숨 막히는 존재로부터 3세기에 걸쳐 물려받은 종교어의 방언들은 안티오키아 지방 구석구석에까지 닿아 있다. 필라르 여사가 집을 대청소한다며 호언장담할 때 그의 입에서 나오는 말은 다음과 같다. "지금부터 악마를 쫓아내는 거야!"

069번 버스 정류장에 서 있다가, 내 오른쪽 신발에 접착제가 붙어 있는 걸 발견했다. 쉽게 떨어질 것 같지 않다. 우에코에 들러서 새 운동화를 살 수 있다면 얼마나 좋을까. 우에코는 메데인 중심가에 있는 상가로, 여기에서도 멀지 않다. 우에코에서 파는 것들에서는 밀수품의 냄새가 난다. 상가의 진열장은 살 수 있는 사람만 오고 너 같은 사람들은 꺼지라며 소리치는 듯한 모양새다. 새로 나를 맞이한 세상 대부분은 이룰 수 없는

욕망으로 구성되어 있다. 살 수 없는 옷들과 먹을 수 없는 음식들이다. 돈이 없다는 건, 나체로 길을 돌아다니는 기분이자 어렸을 때 부모를 잃은 그런 느낌이다. 고아가 되어버린 기분을 어떻게 극복한단 말인가? 돈이 있다는 말은, 그렇다면 다른 사람이 된다는 것인가? 돈에 대해서 생각하지 않는 유일한 방법은 가치가 얼마인지도 따지지 못할 만큼 돈을 많이 가지는 거라고 했다. 그런데 어떻게 그럴 수 있지? 어떻게 하면 거기까지 갈 수 있지?

불평하지 말자. 나와 같은 임금을 받는 내 직장 동료에게는 아이가 있다. 자기의 신발이 아닌 아이의 신발을 걱정하고 기저귀도 사야 한다. 그의 아내도 일을 다니는데, 얼마 전 트럭의 바퀴를 파는 회사의 비서에서 커미션을 받는 영업직으로 승진했고, 직장에서 오토바이도 하나 받았다. 동료는 기쁘다고 했지만, 동시에 부부싸움에서 최저임금을 받는 처지로는 '여사님'을 이길 수 없다는 것도 알고 있다. "우리 여사님." 동료는 아내를 그렇게 부른다. 나에게는 '여사님'이 없다. 어쩌면 지금 나에게 돈보다 필요한 건 그 '여사님'일 수도 있지 않을까. 아닌가? 모르겠다. 동료가 이 공장에서 일하기 전에는 '엑시토'라는 대형 마트에서 9년을 근무하고서 해고되었다. 그때 임금은 지금의 두 배였다고 한다. '엑

6   성공, 업적, 번창 등을 뜻하는 스페인어.

시토'에서 받은 퇴직금은 1년에 100만 페소, 즉 900만 페소에 불과했고, 그가 받은 퇴직금 수표에는 Exito(엑시토)[6]라는 끔찍한 사명이 찍혀 있었다. 해고된 날 집으로 돌아왔을 때, 무척 서러웠다고 했다. "한 달을 내리 울었지." 점심 식사 중에 그가 해준 얘기다.

투토콜로레에서는 10시간의 근무 시간 안에서도 반장의 감시 눈초리를 피해 작은 대화를 나눌 수 있는 틈이 있다. 이를 활용해서 기사를 쓰기 위한 정보를 모은다. 하지만 직접적인 질문은 피하도록 한다. 대신 사람들이 자연스럽게 얘기를 꺼내도록 놔둔다. 내 얼굴이, 조용한 성격이, 경청하는 모양새가, 내 안경이, 아니면 뭔가 모를 무언가가 이들의 자연스러운 고백을 부추긴다. 그러나, 우리의 대화는 절대 밖에서 이루어지지 않는다. 언제나 공장 안에서 이야기를 나눈다. 중간 관리자 한 분이 금요일에 맥주 한잔하러 술집에 가자는 걸 웃으면서 거절했다. 술을 마시지 않는 크리스천쯤으로 나를 생각하겠지. 초대에 거절하지 않으면 내 동료들의 삶에 대해 훨씬 더 많이 알게 되겠지만 '동료들과 함께 술을 마시지 않겠다'는 내 나름의 규칙을 정한 이유는 너무 큰 죄책감을 느끼고 싶지 않아서다. 공장에 친구가 있으면 좋겠지만, 그렇게 되면 내가 누군지 밝히지 않을 수 없을 테니 말이다.

자신에게 면죄부를 주기 위해 소소한 규칙들을 만들어 지키고 있지만, 머릿속에는 항상 이런 단어가 떠돌아다닌다. 거짓말쟁이. 뻔뻔한 놈. 협잡꾼. 맥주를 마다하는 또 하나의 이유는 누군가가 나에게 질문을 했을 때 무슨 대답을 해야 할지 모르기 때문이다. 그들에게 나는 보고타의 비슷한 공장에서 일하다가 근무지를 옮긴 노동자일 뿐이다. 이름은 안드레스. 하숙집에서 살고 있는데, 그 집의 주인은 모두가 부러워할 만한 점심 도시락을 싸준다. 거기까지다. 이름이나 생김새를 바꾸고 싶지는 않았다. 기자로 일했을 때 쓰던 안경도 그대로 쓴다. 콘택트렌즈를 끼거나 콧수염을 붙이는 짓은 하지 않았다. 메데인에 오기 전에 머리를 짧게 깎았을 뿐이다. 그리고 그동안 꽤 자랐다.

버스가 지금 도착하면, 30분 안에 우리 집에 갈 수 있다. 우리 집. 맞다. 이제 그곳을 '우리 집'이라고 생각한다. 아니, 확실히 '우리 집'이다. 갓 지은 넉넉한 저녁 식사가 나를 기다리는 곳. 추러스를 이렇게 간절히 먹고 싶어 하는 건 애들이나 할 짓이다. 새 운동화는 사치다. 나는 내 낡은 운동화가 좋다. 그러나 동시에 이런 생각도 스친다. 좋아하는 공장의 여직원 앞에 새 운동화를 신고 가면, 내가 달라 보이지 않을까? 사랑을 위해서는 돈이 필요하다. 가끔은 다른 어떤 것을 살 때보다도

많은 돈이 필요하다. 사랑의 경제라는 것은 얼마나 강력한가. 운동화의 가격은 7만 페소다. 이걸 사려면 누군가에게 돈을 빌려야 한다. 빌리고, 빌리고, 빌리고, 또 빌린다. 누구한테서? 플라밍고 마트에서 외상으로 살 수도 있을 것 같은데, 내가 원하는 모델의 운동화는 아니다. 플라밍고는 누군가에게는 구원이며 대다수에게는 족쇄 같은 곳이다. 그곳에 들어가면 이름만 대고도 한 달 내내 원했던 모든 것을 가지고 나올 수 있다. 한 달이 지나면 또 그곳에 들어간다. 보름 만에 가는 때도 있다. 일주일만에 가는 때도 있다. 이런 곳에 들어가기 위해 사람들이 밖에 줄을 선다. 나는 줄 서는 걸 좋아하지 않는다. 내일 급여를 받으면 중심가에 우후죽순 생겨나는 소형 카지노에나 들어가볼까 싶다. 아니면 로또를 사거나. 노천에 홀로 남겨진 기분의 경제적 고아에게 요행수 외에 딱히 좋은 처방은 없다.

고리대금업자을 찾아가볼까. 이웃 한 명은 '엘파가디아리오'라고 하는 지독한 수법의 업자에게 현찰을 빌려다 쓴다. 핸드폰으로 전화만 하면 돈을 빌려주는 소년이 있는데 보증인도 계약서도 없이 통화 후 두 시간만 지나면 현금을 가지고 나타난다. 문제는 돈을 갚지 않았을 때다. 일단 집의 대문을 두세 번 두드린다. 이때 열어주지 않으면, 소년은 다른 소년과 함께 돌아온다.

이때 나타난 소년은 더 이상 소년이 아니며 그의 손에는 핸드폰이 아닌 다른 게 쥐여 있다.

오른쪽 주머니를 만져보며 버스비가 그대로 남아 있는 걸 확인했다. 이 돈을 잃어버렸다면 어쩔 뻔했나. 069번 버스가 도착했다. 완전히 만원 버스다. 도저히 올라탈 수 없었다. 069번 버스가 떠났다. 다음 버스를 기다리는데 문득 한 권투선수의 말이 떠올랐다. "빈자보다는 부자가 낫다." 누가 봐도 당연한 이 문장이 어째서 그렇게 유명해졌는지 이전에는 이해할 수 없었다. 얼마면 적절한 최저임금이라고 할 수 있을지 궁금해졌다. 최저임금을 받는다는 건 가난하다는 의미인가? 국가 기획부의 보고서에 따르면 그렇지 않다. 도시에서 사는 사람 기준으로 한 달에 24만 5000페소 이하를 벌어야 '빈곤층'으로 분류된다. 시골에서 빈곤층의 기준은 16만 5000페소다. 누가 이런 막돼먹은 경계를 그은 것인가. 분명 최저임금을 단 한 번도 받아본 적이 없는 사람일 거다.

추러스 노점의 남자는 이제 가게를 접고 있다. 더는 달콤한 기름 냄새가 나를 고문하지 않는다. 하지만 돈에 대한 생각은 여전히 떨치지 못했다. 아무것도 원하지 않는 거라면? 부자로 사는 방법의 하나가 영원히 아무것도 욕망하지 않는 상태라면?

7시 반이다. 069번 버스가 왜 이렇게 안 오는지 모르겠다. 보고타였다면 당장 택시를 잡아 탔을 텐데. 백화점으로 가자고 한 다음, 그곳에서 다음 날 신고 나갈 신발 한 켤레와 잠자기 전에 들을 음반 한 장, 어쩌면 떠들어 보지도 않을 소설책을 한 권 샀겠지. 영화관에 들러 아무 영화나 본 다음에, 집 냉장고에 음식이 차고 넘치는데도 식당에 들러 저녁 식사를 했을 것이다. 지금부터 두어 시간 동안, 보고타에 있었다면, 이곳 메데인에서 쓸 일주일 치 생활비를 다 썼을 것이다.

세 명의 아주머니들이 우리가 서 있는 줄에 나타나더니 나에게 택시에 합승하지 않겠냐고 물었다. 완벽한 제안이었다. 15분 뒤에 코파 아메리카 축구 경기가 시작된다. 버스를 타면 적어도 30분, 아니 집에 도착하려면 그것보다 오래 걸린다. 네, 그렇게 하시죠, 지금 바로요. 도로의 코너까지 걸어가다가 수중에 1100페소밖에 없다는 사실이 생각났다. 더도 덜도 아닌 1100페소. 택시를 타려면 1인당 1300페소를 내야 한다. 옆에 선 아주머니 한 명에게, 기어들어 가는 목소리로 200페소가 모자란다고 말했다. "어머, 애! 이게 무슨 일이니! 일단 타, 얼른!" 아주머니는 격앙된 목소리로 꾸짖듯 말했다. "콜롬비아 인구 44퍼센트는 빈곤층." 오늘 신문에서 읽은 기사 제목이다.

택시를 세우고, 올라타면서 혹시나 하여 왼쪽 주머니를 뒤졌다. 구겨진 종이 쪼가리가 하나 만져졌다. 1000페소짜리 지폐였다. 잠깐, 지금에 와서 아주머니들께 돈이 있다고 말할 순 없겠지? 말해야 하나? 결국 나는 말하지 않고 지폐를 주머니 속에 그대로 두었다. 내일은 추러스를 한 봉지 사 먹으려고 한다.

$

매일 새벽, 출근을 위해 집에서 나오기 전에 지갑에 넣어둔 달력의 날짜에 새로운 줄을 긋는다. 얼음장 같은 물로 샤워한 후, 적군의 비행기가 머리 위를 지나가는 소리를 들으며 애인의 사진을 꺼내 보는 군인이 된 것처럼 그 달력을 본다. 나의 동료들은 근무를 끝내야 하는 마지막 날짜라는 게 없는 사람들이라는 걸 안다. 공장에서의 삶이 곧 그들의 삶이다. 그렇지만 나에게 이 시간은 여행 같은 것이다. 지금 이전의 내 삶이 어떠했는지 가끔 기억이 잘 안 날 때가 있지만 말이다. 누구였더라? 구독자 수가 꽤 되는 잡지의 칼럼부 편집장 자리까지 오르면서 아무 생각 없이 많은 월급에 익숙해졌고, 산이 잘 보이는 풍경을 앞에 둔 커다란 창문이 달린 그 아파트에는 어쩌다 살게 되었는지, 고급 배달 음식

7   Buick. 미국 제너럴모터스의 자동차 고급 브랜드. 2004년 올즈모빌
     브랜드가 해체되면서 캐딜락에 버금가는 브랜드로 자리 잡았다.

을 시켜 먹고 취향을 고스란히 담은 가구들과 6개월마다 바꾸던 안경은 어쩌다 손에 넣은 건지 자문해본 적이 없는 인물이었다.

　나의 아버지는 젊었을 때 지방의 한 소도시에서 친척의 자동차 수리소에서 일하면서 지역 주지사의 뷰익[7]과 시장의 포드를 완벽하게 관리했다. 나의 어머니는 또 다른 지방에서 나름 상류층의 딸로 태어나 원피스 드레스를 입고 지역의 사교클럽에 소개되던 젊은이였다. 한 공공기관에서 둘의 삶이 마주쳤고 결혼에까지 이르렀다. 조금씩조금씩, 지난 몇 달 동안 내 안에서 저둘 모두를 발견한다. 돈도 없이 보고타의 싼 셋방에서 살다가 정부기관에 한 자리를 얻어 일하면서 근성 있게 위로 올라간 남자와, 신분이 가지는 특권과 교활함을 경멸하며 매달 새로운 가방을 사주는 남편을 만나기 전에 얼른 직업 전선에 뛰어든 여자 말이다.

　7월 3일에 줄을 그었다. 일주일 전부터 회사에서 새로운 일을 맡게 되었다. 투토콜로레의 운전사와 함께 공장에서 처리할 수 없는 특수한 마무리 작업을 담당하는 가내 작업장을 돌아다니는 일이다. 이중 단추라든지 추가 지퍼 달기 같은 작업이다. 나는 전직 조수가 하던 업무를 대신 맡았는데, 그 조수는 최저임금의 두 배 가까운 급료를 받는 주차장 야간 관리직에 지원해 지금은

경비회사에 다니고 있다. 어쨌든 나는 공장 선반에서 벗어나 도시의 거리로 나왔고, 지난 4개월간의 로봇 노동으로부터 스스로 구출해냈다. 배냇저고리의 수량을 세면서 보낸 나날로부터.

어느 오후에는 1253벌의 옷을 세었고, 돈을 위해서라면 사람은 어떤 일이든 할 수 있다는 사실을 항상 기억하기 위해 그 숫자를 종이에 메모해뒀다. 공장의 한 동료는 이곳에서 일하기 전에, 밤 10시부터 아침 6시까지 노엘 제과의 생산설비에서 수백만 개 과자가 줄지어나가는 것을 바라보며 3년 반을 일했다. 갓 태어난 아이를 먹여 살리기 위해서는 별다른 도리가 없었다. 또 다른 동료는 화장품 회사에 입사하여 3개월 동안 하루에 열두 시간씩 근무했는데, 한 달에 휴일은 고작 하루였다. 90일간 일하면서 딱 사흘을 쉰 것이다. "그 돈을 벌 수만 있다면 일하다가 죽어도 상관없을 것 같았어. 그 돈이 아름다워 보였지." 일을 마친 그가 사물함 앞에서 들려준 얘기다. 그곳에서 일하는 동안 그는 6킬로그램이 빠졌다. 투토콜로레에서 일하고서는 1.5킬로그램 정도만 빠졌다고 한다.

나는 이제, 머리가 희끗희끗하고 체격이 건장한 하이메 이사사 씨의 조수로 알려졌다. 그는 회사 밴을 운전하며 메데인 곳곳을 누빈다. 우리는 이미 일주일 전

8   Mora Juice. 블랙베리, 물, 설탕을 혼합한 남미 음료로, 짙은 붉은색을
띠며 새콤달콤한 맛을 낸다.

에 5만 페소어치 기름을 채웠고, 작업이 끝난 수많은 옷자루를 수거하기 위해 이 작업장에서 저 작업장으로 돌아다닌다. 집 안 거실이나 부엌에 차려진 이 소형 공방들은 대부분 내가 사는 동네와 비슷비슷한 풍경을 가진 동네에 있다. 지붕에 붙어 있는 네온 불빛과 옷을 만드는 분주한 재봉틀 소리 덕에 길에서도 쉽게 알아볼 수 있다. 내가 제일 좋아하는 집은 만리케 구역에 있는 곳으로 애꾸눈 개가 지키고 있는 오래된 집이다. 그 집의 주인은, 다른 시대에서 온 듯한 옷차림의 아주머니인데 이사사 씨와 내가 밴에 옷자루를 가득 채우고 나면 매번 모라 주스[8]를 가져다준다. 슬쩍 봐도 매출이 늘어날 게 분명한 이 옷자루가 투토콜로레의 경영난을 해소해 줄 것이다. 적어도 새로 부임한 사장은 그렇게 믿고 있다. 그는 덩치가 크고, 공장 바닥에 떨어진 실 가닥을 일일이 주워 쓰레기통에 버리는 사람이다. 그에게 이 옷자루는 멀리에서 찾아온 반가운 소식과 같다. 그러니까, 우리는 지금 집배원 역할이다.

오늘, 7월 3일 화요일은 알라스카의 여름날처럼 긴 하루였다. 아침 9시, 이사사 씨와 나는 리오네그로 공항으로 가서 화물 적재구획에 수출품을 부렸다. 세관 직원은 이사사 씨에게 스페인으로 가는 이 옷가지 사이에 숨겨진 마약이 없다고 확인신고하는 문서에 서명하

도록 했다. 차에서 옷을 내리기 전, 이들은 증빙을 위해 상자를 배경으로 이사사 씨의 사진을 찍었다. 스페인의 세관이 이 아동복들 사이에서 코카인을 발견하기라도 하면, 누구를 심문해야 할지 알 수 있도록 말이다. 이 일이 끝나자 10시가 되었다. 갑자기 세상이 끝날 것 같이 장대비가 쏟아졌다. 우리는 공항에서 빠져나와 재봉틀 기계를 전해주기 위해 메데인에서 30분 정도 떨어진 마을인 라세하의 협동조합으로 향했다. 기계를 내리는 동안 이사사 씨가 나에게 이 협동조합에서 파는 채소를 어머니께 사드리고 싶다며 돈을 빌려달라고 했다. 나는 퇴근 후에 맥주를 마시는 데 쓰려고 했던 3000페소를 빌려주었다.

오후에 공장에서 퇴근한 뒤 가끔 시내의 아이스크림 가게에 들른다. 메데인에서는 노포 술집을 아이스크림 가게라고 부른다. 고독한 안티오키아인을 위한 찻집 같은 곳이다. 탁자에 앉아 있는 아가씨들은 열대지방의 접대부다. 그녀들은 아구아르디엔테 한 잔을 얻어 마시고 주크박스에 가장 좋아한 노래를 틀고는 이사사 씨처럼 큰 손을 가진 사내들의 이야기들을 참을성 있게 들어준다.

메데인으로 돌아오는 길에 밴 창문을 열고 젖은 잔디 냄새를 맡고 있는데 이사사 씨가 무언가를 가리켰다.

테켄다마 폭포가 보였다. 이사사 씨가 월급에 여유가 생길 때면 애인을 데려와 함께 송어를 먹으며 구경하는 곳이라며 내게 말했다. "행복이란 그런 거지." 50을 넘긴 그에게는 애인 한 명과 전처 두 명이 있다. 나도 공장에 호감 있는 사람이 있지만, 그 사람은 결혼했다.

오후 1시 반, 점심을 먹기 위해 공장으로 돌아왔다. 투토콜로레에서 일하면서 점심 식사는 매일 5층에 있는 전자레인지에 식사를 데워 15분 만에 게걸스럽게 먹어 치우는 걸로 해결한다. 그 시간이 우리에게 주어진 정규 점심시간이다. 필라르 여사가 만들어준 도시락에는 닭고기 두 조각, 밥, 감자튀김, 플라타노 반 개가 들어 있다. 가끔 아보카도나 치차론이 들어 있는 날엔 오후가 달라진다. 2시가 지나, 창고의 반장이 단추, 고무줄, 옷 태그를 도시 북쪽 13구역에 있는 산하비에르의 한 작업장에 갖다주라고 지시했다. "몇 년 전엔 발도 들여놓지 못하던 곳이었는데 말이야." 이사사 씨가 밴에 시동을 걸면서 말했다.

5년 전인 2002년, 지금 내가 사는 동네처럼 급경사의 꼬불꼬불한 골목으로 이루어진 산하비에르에서 검은 헬리콥터가 슬레이트 지붕을 들어 올리는 장면을 뉴스 생방송으로 본 적이 있다. 경찰 중대 여럿과 군대의 특수부대원들이 게릴라의 준군사조직을 코앞에 두

9   Chicharrón. 삼겹살이나 돼지고기 껍질을 튀겨 만든 요리.

고 대치했다. 20명이 사망했고 200명이 다쳤다. 50년 전, 한 시골에서 동일 세력에 의해 시작된 이 전쟁이 도시에도 다다른 게 분명해 보였다. 이날, 한 남자가 자신이 살아 있다는 사실을 가족들에게 알리려고 공중전화 박스로 가다가 날아다니는 총알을 맞고 죽었다. 이사사 씨와 함께 30분 동안 산하비에르의 거리를 돌아다녔는데, 그 짧은 시간 동안 휠체어에 몸을 의지한 젊은이를 여섯이나 만났다.

　　오후에 주어진 두 번째 업무는 옛 쓰레기 처리장에 세워진 한 동네에서 옷자루 한 다스를 수거하는 것이었다. 모라비아라 불리는 동네였다. 혹은 모라비아에서 남겨진 구역이었다. 메데인으로 오기 전날 밤, 이곳에서 화재가 발생해 200여 채가 불에 탔다. 이사사 씨와 내가 돌아다니는 코스는 어느새 메데인이라는 도시의 비극을 하나씩 확인하는 경로로 바뀌어 있었다.

$

필라르 여사가 점심 식사에 쓸 치차론[9]을 같이 사러 가자고 했다. 오늘은 메데인의 라이벌 축구 클럽인 아틀레티코나시오날과 데포르티보인데펜디엔테의 경기가 있는 아주 특별한 일요일이다. 집 계단에 서 있는데 어

두운 창문이 달려 있고 차의 위쪽에 인데펜디엔테 팀의 깃발을 단 차가 보였다. 이 차는 아주 도발적이고 느릿느릿하게, 벽에 기대어 있는 네 명의 청년들 앞을 지나갔다. 벽에는 1994년 월드컵 예선전에서 미국과의 경기에서 자책골을 넣었던 안드레스 에스코바르의 그림이 그려져 있었다. 이해 콜롬비아는 이 자책골로 인해 예선전에서 탈락했고 에스코바르는 귀국 후 메데인의 디스코텍에서 나오던 길에 시비를 거는 손님과 말다툼을 벌이다 끝내 총에 맞아 죽었다. 저 벽은 경기가 시작되기 전 나시오날 팀의 팬들이 모이는 곳이다. 이들은 모두 녹색 유니폼을 입고 있다. 차의 운전사가 창문을 내리더니 뭐라고 말했다. 양쪽에서 욕이 오갔다. 청년 하나가 운전사가 있는 차의 문에 주먹질했다. 순간, 싸움이 일어날 듯한 느낌이 들었으나 바퀴가 소음을 내며 차는 곧 떠나버렸고 남은 건 이성을 잃은 온갖 육두문자뿐이었다.

필라르 여사와 나는 장미가 피어 있는 모퉁이에서 길을 꺾었다. 동네에 얼마 남지 않은 정원이었다. 필라르 여사는 코너를 돌자마자 뒷걸음질 치더니 내 뒤로 몸을 숨겼다. 모든 위험과 악에서 그녀를 지켜주리라 믿는 유다의 카드에 매달리듯 내 손을 꽉 잡았다. 그러고선 머리가 센 남자를 가리키며 말했다. "저기 봐, 저

기 악마가 있단다." 쇠로 된 의자에 앉아 있는 그 남자의 눈빛은 마치 지금 가려던 정육점에서 핏물 고인 뼈를 훔쳐 갉아 먹는 거리의 개와 비슷했다. "로케 아세베도야." 필라르 여사가 악마의 이름을 입에 올렸다. 당황스럽게도, 내 눈에 보이는 건 충혈된 눈에 침을 질질 흘리며 허리춤에 총을 찬 악마가 아닌, 그저 무엇을 해야 할지 모른 채 앉아 있는 노인의 모습뿐이었다. 아세베도는 한때 자식들과 함께 무시무시한 갱단을 조직한 두목이었다. 이젠 거의 전멸했지만 10년 전만 하더라도 구역의 다른 조직과 싸움을 벌이곤 했다. 내가 사는 구역과 그 주변부에선 영화 속 '대부' 같은 존재였다. 구역을 두고 아세베도의 조직과 전쟁을 벌이던 라테라사는 그 세력이 어마어마해서 파블로 에스코바르가 만든 범죄조직의 핵심 인물인 돈 베르나, 즉 디에고 무리요 베하라노와도 싸움을 벌이기에 이르렀다. 이제는 해체된 라테라사의 본부는 지금 우리 집에서 세 블록 떨어진 곳에 있었다. 아세베도와 라 테라사 사이의 전쟁 중에, 우리 집주인인 루벤 비야 씨가 당시에 운영하던 빵집으로 상해를 입은 한 남자가 도망쳐 들어오려고 한 적이 있다. 그때 비야 씨는 어떤 조직과도 관련이 없었다. "못 들어오게 했지. 잔인하게 들리겠지만 만약 그때 그 사람을 들였다면 반대편 조직에서 나를 가만 안 뒀을 거

10 Aguardiente. 물을 의미하는 아구아와 타들어간다는 뜻의 아르디엔테를 합친 이름의 술로, 사탕수수를 원료로 한다. 저렴한 가격과 낮은 도수로 콜롬비아 전역에서 사랑받는 대중적인 주류.

11 Morcilla. 우리나라의 순대와 비슷하게, 돼지나 양의 내장에 고기 없이 선지를 넣어 먹는 스페인 음식.

12 Mariachi. 멕시코에서 발달한, 댄스 음악을 위한 편성 악단. 현악기에 트럼펫, 기타 따위를 섞은 것으로 풍부한 민족색을 지닌다.

13 Un Mundo Raro. 멕시코 가수 호세 알프레도 히메네스의 노래로, 제목은 이상한 세상이라는 뜻이다.

야. 지인 중에 그런 경우가 있었거든. 그이의 주류 판매점에 놈들은 폭탄을 터트렸지." 지난주, 필라르 여사의 생일날 루벤 비야 씨는 나와 함께 아구아르디엔테[10]를 몇 잔 나눠 마신 후 모르시야[11]를 안주로 앞에 두고서 이 이야기를 들려주었다. 앙헬리카가 달콤한 세레나데를 불러주는 마리아치[12]들을 불러왔다. 나는 역시 앙헬리카라면 가족사진들이 진열된 테이블 정가운데 자신의 독사진을 올릴 만한 자격이 있다고 생각했다. 그도 그럴 것이, 작년에는 어머니에게 세상 멋진 주방을 선물해줬고 이제는 마리아치를 데려와서 「운 문도 라로」[13]를 시작으로, 아버지가 좋아하는 민요들을 연달아 들려주니 말이다. 이날 밤 필라르 여사가 머리에 색종이 조각을 묻히고서 대화에 끼어들었다. "여보, 그때 목에 유리 조각이 박힌 남자애가 나타났던 거 기억나?" 듣자 하니, 그 소년은 지금 우리가 아구아르디엔테와 모르시야를 먹고 있는 이곳의 바로 앞 창문에 나타났다고 한다. "말을 못 하더라고. 목에선 피가 줄줄 흐르는데, 불쌍하게도 얼굴이 사색이 되어서는 뒤로 돌더니 아무 일도 없다는 듯 가버렸지." 필라르 여사는 끔찍한 표정으로 그 순간을 묘사했다. 그가 남긴 시뻘건 구덩이를 씻어냈다는 듯이 말이다. 마약밀매단들이 낳은 전쟁 일부는 민병과 준군사조직과 범죄단으로 자랐고, 싸움 당시 참호

의 용도로 쓰인 비야 씨의 집과 그 주변의 벽들에 총구 멍들을 남겼다.

하지만 오늘 같은 일요일, 메데인의 갱단 전 두목 인 로케 아세베도와 마주친 후에 내가 느꼈던 감정은 연민에 가까웠다. 자신의 아이들을 모조리 죽음에 이르 게 하고 종국에는 자기가 그렇게 해치운 적군들이 마약 밀매단인지 게릴라인지 준군사조직인지도 알지 못하 는 삶이었다.

정육점에 줄을 선 필라르 비야 여사는 가장 좋은 치차론을 차지하기 위해 수완을 부렸다. 지난 30년간 이 집을 이용한 단골에게 사장님은 주문받은 부위를 여 사의 손에 직접 건네주었다. 정육점 집과 비야 씨 가족 은 한 주 간격으로 산타이네스에 이사 왔다. 비야 씨 가 족은 바르보사에서, 정육점 집은 소페트란에서 이곳으 로 왔는데, 소페트란은 과일을 재배하는 지역으로 매주 열다섯 대의 트럭이 오렌지와 망고를 실어 나르는 곳이 다. 1980년대에는 마약밀매단들의 휴양지로 이름을 날 리던.

아주 좋은 삼겹살 부위를 두 근 사서 집으로 돌아 왔다. 30분 후, 주방에 선 필라르 여사가 몸이 아프다며 불평했고 나는 가만히 듣고 있었다. 낭창으로 고생하고 있어 걱정이 됐다. 몇 달을 지내면서, 두 번째 어머니와

함께 산다는 게 행운이라고 생각했다. 밤마다 공장에서 돌아와 저녁 식사를 한 후 함께 대화를 나눈다. 우리 가족에 대해서 조금 이야기해드렸다. 어머니는 미국에서 일하고 여동생은 보고타 의대에 다니며, 남동생은 다른 도시의 농대에서 공부하고 아버지는 커피 농장에서 지낸다는, 이렇게 뿔뿔이 흩어진 가족의 이야기를 말이다. 하지만 내가 여기에서 어떤 내용을 취재하고 글을 쓰겠다는 얘기는 꺼내지 않았다. 아마 그런 내 모습을 스스로 참을 수 없게 되었기 때문이다. 처음에는 주변에서 일어나는 일들을 시시콜콜하게 적어뒀고, 많은 질문을 던졌다. 그러나 새로운 일들은 더 벌어지지 않았고 나의 기록은 매일 24시간 동안 일어나는 일상에 지나지 않았으므로 어느 순간부터 그저 이런 대화들이 자연스럽게 이야깃거리를 찾도록 내버려두기로 했다.

필라르 여사는 낭창을 계기로 '시스벤'이라는 복잡한 미로를 뚫어야 했다. 시스벤은 가정의 소득 규모에 따라 지원금이 결정되는 국가의 의료 시스템이다. 소득이 적다는 것을 증명하지 못하면, 지속적으로 복용해야 하는 약을 사기 위해 보건부에 소송까지 걸어야 할 참이었다. 약값만 한 달 40만 페소가 드는데, 이는 수도세, 전기세, 통신비, 하수도 요금을 다 합친 것의 세 배가 넘는 금액이다. 필라르 씨네 가정은 공과금으로 15만 페

14 Mangrove. 아열대나 열대의 해변이나 하구 기수역의 염성 습지에서
   자라는 관목.

100

소를 쓰는데 앙헬리카가 쓰는 인터넷까지 포함한 금액이다. "빵 터지는 인터넷"이라고 놀림받지만 말이다. 다행히 이 집은 자가 주택이라서 집세를 내기 위해 돈을 더 구해야 하는 형편은 아니다. 이 동네에서 비슷한 크기의 집은 한 달 집세가 30만 페소 정도지만, 매물로 나오는 집 구하기는 하늘의 별 따기다. 산타이네스는 비교적 살기 좋은 동네로 알려져 있기 때문이다.

$

퇴근 시각인 5시가 가까워져 오면 이사사 씨와 나는 죽어버린 맹그로브 나무[14]처럼 바싹 타는 목을 움켜쥐고 공장으로 되돌아간다. 도착과 동시에 온종일 걷은 옷자루를 트럭에서 내린다. 이제 7월 중순이다. 더위 때문에 갑자기 몇 달은 더 늙어버린 기분이다.

　　지난 몇 주 동안 이사사 씨와 함께 일하면서 나는 특별한 능력을 얻었다. 옷자루를 열어보지 않고도 안에 든 옷이 어떤 종류인지 알아내는 법을 익혔다. 지금 내가 2층까지 계단으로 올라가는 동안 등에 짊어진 이 자루에는 두꺼운 면으로 된 바지가 있고, 그래서 이렇게나 무겁다. 다이아몬드를 손에 올려놓는 것만으로 무게를 맞히는 보석 마스터가 된 기분이 들었다. 다만 이 순

간의 진실은 계단 끝에 이르니 내 척추가 삐걱거린다
는 사실뿐이다. 척추가 휘어지는 것을 예방하기 위해서
재단 작업반으로부터 벨트를 빌리는 걸 또 잊었다. 보
디빌더가 몸을 만들 때 쓰는 벨트를 닮았는데, 이 벨트
를 착용하지 않고 이 일을 계속한다면 내 척추는 5년 안
에 S자로 휘어버릴 것만 같다. 하지만 이제 공장을 떠날
날이 가까워져온다. 이 사실을 상기할 때마다 다른 사
실이 떠오른다. 나의 동료들은 수십 년이 지나도 이곳
을 지키고 있을 거라는.

　　보고타에 돌아간 다음에는 무엇을 할지 모르겠다.
이 기사를 마무리하면 어머니를 뵈러 미국에 갈 테고,
메데인에 오느라 미뤄두었던 소설을 계속 쓸 계획이다.
그런데, 돌아갈 집이 없다. 딱히 개의치는 않는다. 몇 달
동안은 여동생이 있는 곳으로 들어가서 이 기사로 버
는 돈으로 공과금을 나눠 내면 되겠지. 다만 진짜 아무
도 말해주지 못할 어떤 변화가 있으리란 것은 확신한다.
희망과 동시에 두려움을 품은 채, 내 삶을 지탱하던 판
의 구조가 변하고 있다는 게 느껴진다. 이 글을 쓰고 받
는 돈이 떨어진다고 해도 이전의 나로 돌아가지는 못하
리라. 편집실에서 몇십 년을 보내는 건 이제 내게 대안
이 될 수 없다. 시간을 살 것이다. 그러고 나서 내가 어
디로 빠져나갈 수 있을지 모색할 것이다.

열 시간을 일하고 나니 몸에서 심한 냄새가 났다. 땀에 흠뻑 젖은 티셔츠 차림으로 최종 작업반에 들고 올라온 옷자루를 내려놓는다. 그곳은 텅 비어 있다. 옷을 검수하는 여공들은 오후 3시에 이미 퇴근했다. 학교에서 나오는 아이들을 데리러 가야 하기 때문이다. 빈자리 사이를 걷고 있으니 울적해진다. 주인을 잃고 흩어진 작업 도구만큼 애처로운 것은 없다. 어느 자리에는 곰이 그려진 노트 한 권이, 다른 자리엔 누군가가 잊고 간 머리끈이, 끄트머리에 이빨 자국이 있는 볼펜이 보인다. 또 다른 자리에는 옷에 글씨를 전사하는 기계가 보이는데 문구는 다음과 같다. "용감한 마음." 이 작업반의 반장인 루스 카스트로 여사가 앉는 자리로 걸어간다. 이 회사에서 아주 오랫동안 일한 분이다. 메데인에서 45분 정도 떨어진 칼다스 강가 마을에 사는데, 그 집 식탁에 놓인 포스터에는 한 남자가 등을 진 채 갈림길에 서 있고 앞에는 두 갈래의 길이 있다. 올바른 길과 파멸의 길이다. 올바른 길에는 곡괭이와 웃고 있는 여자와 아이들과 정원이 딸린 작은 집 한 채가 있다. 파멸의 길에는 아구아르디엔테 한 병과 지폐 다발과 동전, 무기와 관이 있다. 이사사 씨와 옷자루를 수거하러 그 집에 가본 뒤로 나는 그 포스터를 기억하고 있다. 가스트로 여사는 돈 몇 푼을 더 벌기 위해, 주말마다 자기 집에서 부업을

한다. 여기서 돈 몇 푼은 그야말로 몇 푼이다. 옷 한 벌을 옷걸이에 걸어 봉지 속에 넣을 때마다 150페소가 들어온다. 내가 만약 몇 달 전에 이 포스터를 봤더라면 참을 수 없는 이원론이라고 여기고 넘겼을 거다. 그러나 하루에 열 시간씩 일하는 메데인 노동자로 몇 달을 지내고 나니, 오늘은 개종이라도 한 듯 카스트로 여사처럼 세상에는 두 가지 길밖에 없다고 생각된다.

이런 생각이 드는 와중에 우리 반장이 갑자기 나를 부르더니 일이 남았다고 했다. 도시 반대편에 있는 카스티야 구역에 가서 옷자루 세 개를 더 수거해야 한다는 것이다. 벌써 4시 55분이고, 퇴근 시각은 5시인데?(5시여야 하는데!) 지칠 줄 모르는 이사사 씨가 밖에서 차에 시동을 걸고 나를 기다리고 있다.

$

7월 말의 어느 일요일, 무더위 속에서 점심을 먹고 나니 침대에 뻗을 수밖에 없었다. 낮잠을 한숨 자야 한다. 여름이 온 뒤 방문 대신 베일 천이 달린 게 얼마나 좋은지 알게 되었다. 축복받은 기분이다. 잠에 막 들려고 하던 차, 비야 씨의 첫째 아들 엘킨의 귀여운 두 딸인 사라와 소피아가 나를 보려고 집으로 찾아왔다. 엘킨 씨는

화장실과 주방에 타일을 붙이는 일을 하는데 손이 빠르고 솜씨가 좋아서 동네에서 평판이 좋다. 바로 옆에 사는데도 아주 가끔만 본다. 아주 잘생겼는데, 유혹하는 듯한 눈빛이 꼭 이탈리아 배우 인상을 풍긴다. 그는 메데인에서 시작된 마약 산업과 손쉬운 돈에 빠져서 삶을 송두리째 잃어버린 사람이 태반인 세대에 속하지만, 아버지처럼 해가 떠서 질 때까지 성실하게 일하며 살아간다. 소피아와 사라는 둘 다 아직 열 살도 채 되지 않았는데, 만나면 동네 수다를 떠는 아주머니들 목소리를 흉내 내가며 온갖 소문에 관해 재잘재잘 떠든다. 나는 반쯤 잠이 든 상태로 이 둘의 이야기를 듣는다.

경찰이 와가지고서는, 대마초 피는 사람은 다 죽여버린다고 했다잖아.

아니야, 아니야, 경찰이 아니구 동네 깡패들이 그랬다니깐. 죽여버린다고 한 건.

막내가 혀짧은 발음으로 대꾸했다.

동네에 깡패가 하나 있는데 별명이 백정이래. 칼로 사람을 죽인다고.

109

첫째가 말했다.

　자매는 내가 잠이 들어서 그다지 관심을 두지 않자, 인형 놀이를 하러 거실로 나가버렸다.

　해가 질 무렵 낮잠에서 깨어났다. 앙헬리카의 방으로 가니 오랫동안 샤워를 하고선 화려하게 꾸미는 중이었다. 나는 알고 있었다. 화장품 파우치가 겨우 들어가는 핸드백에 작은 주머니칼도 같이 넣어 다닌다는 것을. 조금이라도 안전하다고 느끼기 위해, 부적처럼 갖고 다니는 거라고 짐작했다. 하지만 나는 깜박 속았다. 앙헬리카의 방문 앞에 서서, 내가 살 테니 아이스크림을 먹으러 가자고 했다. 지난 금요일에 급여를 받았으니, 산타이네스의 옆 동네인 비야에르모사에 가서 연유 아이스크림 더블콘을 사먹는 것은 일요일 밤의 무더위를 없애기에 더할 나위 없이 좋은 방법이었다. 집에서 나서려는데 앙헬리카가 칼을 꺼냈다. 전등 아래에서 번쩍이는 칼날은 아주 옛날 비슷한 용도로 쓰이던 십자가처럼 빛이 났다. 칼을 얼굴에 가져가는 걸 보고 조금 놀라 나는 고개를 돌렸다. 앙헬리카는 발견했던 것이다. 눈썹을 정리하는 세상의 모든 도구를 써봤지만, 살짝 뭉뚝해진 주머니칼만 한 게 없다는 사실을.

　이제 됐어, 걸어서 가자.

111

15   2007년 작가가 발표한 첫 장편소설 『Sálvame, Joe Louis(나를 구해줘, 조 루이스)』.

앙헬리카와 함께 연기가 자욱한 길을 같이 걸었다. 밤에는 한 번도 걸어본 적 없는 길이었다. 건조한 여름 기후 때문에 근처 산에서 화재가 일어났다. 엘데시에르토를 지났다. 한 조직이 옆 동네 조직의 이름을 따서 여전히 인근에서 활동한다는 소문이 도는 동네다. 모퉁이를 지나는데 앙헬리카가 그곳에서 깡패들이 총싸움을 벌여 유명해진 곳이라고 얘기해줬다. 길거리에서 벌어진 총격에 참여한 대다수는 죽었다. 블록을 지날 때마다 여기는 손이 없는 시체가 발견된 곳, 밤에 총성이 오간 곳, 가와사키 오토바이가 엔진 소리를 멈추지 않는 곳, 주류 판매점과 빵집에 폭탄이 터진 곳 따위의 이야기들이 줄줄 나왔다. 비야 가족은 이 오싹한 투어가 보여준 끔찍함 속에서 평생을 살았다. 그동안 나는, 아무것도 모르는 보고타에서 술집이나 다니고 인터넷에서 DVD나 사 모았다. 상류층의 사교 사진을 찍는 한 사진사가 센티멘털한 자기 삶과 일에 싫증이 나서 보고타를 떠날 생각만 한다는 내용의 소설[15]이나 쓰면서 말이다.

$

오늘은 2007년 8월 21일. 공장에서의 마지막 날이다. 금요일 오후인 지금, 공장의 2층 끝 화장실에 앉아 있

113

다. 귀를 기울이면 공장이 돌아가는 소리가 전부 들린다. 눈을 감아도 2층의 재단사와 4층의 자수공과 날염공, 3층의 재봉틀 쉰 대가 눈에 선하다. 메데인으로 이주하여 이곳 투토콜로레에서 일한 지 반년이 지났다. 이제는 공장에서 들리는 소리가 컴퓨터 자판 소리만큼 익다. 나에게 만성적인 설사병이 있다는 얘기를 우리 반장이 믿어야 할 텐데. 그 정도로 자주 화장실에 들락날락했는데 물론 이유는 다른 데 있었다. 지금처럼 변기 위에 앉아 이것저것 기록해두곤 했기 때문이다. 무엇을? 최저임금으로 살아가는 삶은 어떤지를. 어쩌면 두 번째 최저임금을(아내의 최저임금이나 자식의 최저임금) 간절히 바라는 삶은 어떤지를. 그리고 그 임금들을 다 모아서 언젠가는, 아주 작은 사업을 시작하는 걸로 세 번째 최저임금을 만들고 그렇게 계속하다 보면 네 번째, 다섯 번째, 무려 여섯 번째 최저임금까지 손에 쥐리라는 기대에 관하여. 최저임금으로 살아간다는 것은 추위를 떠올리며 더위를 참아내는 것이다. 최저임금으로 살아간다는 것은 열 시간 동안 발에 감각이 없어질 때까지 서 있는 것이다. 최저임금으로 살아간다는 것은 작업 시간에 배가 얼마나 고픈지 정도를 재보는 것이다. 최저임금으로 살아간다는 것은, 모든 것을 미워하는 것이다. 자기 얼굴까지도. 혹은 반대로 아무것

에도 관여하지 않고 그저 무기력하게 살아간다는 것이다. 어찌 됐든 이 검은색 수첩에 무언가를 쓸 때마다 해답은 동방으로 떠나는 상선처럼 멀어져만 간다.

한번은 어느 젊은 여공이 초코 비스킷과 함께 나에게 건넨 편지를 화장실에서 촉촉해진 눈으로 읽은 적이 있다. 혹시나 만약에 편지를 준 사람이 그가 아니라 내가 몰래 좋아했던 사람이었다면 어떻게 되었을까. 이 건물 밖에서 그를 만나기 위해 스스로 정해두었던 규칙을 어기게 되었을까. 주말에 데이트할 돈을 마련하기 위해서 부업을 찾았을까. 이사사 씨에게 나도 이제 애인이 생겼으니 당신의 애인까지 넷이서 일요일에 테켄다마 폭포에 가서 같이 송어를 먹으며 더블데이트하자고 했을까. 그녀와 함께하기 위해 내 일이, 바로 지금의 글쓰기가 위험에 빠지는 걸 감수했을까.

여기, 이 화장실에서 힘든 순간이 올 때마다 잠깐이나마 숨을 돌리곤 했다. 스스로 희대의 거짓말쟁이가 아닌지, 사기는 아닌지, 이 프로젝트가 끝나고 나를 기다리는 삶이야말로 가짜는 아닌지를 자문하던 순간들이다. 또 비야 가족과 공장의 내 동료들에 대한 글을 쓰고서 받는 그 돈을 받을 자격이 없다는 생각이 드는 순간이었으며, 돈이 있을 때만 베풀 수 있고 베풀지 않을 돈의 의미를 묻는 순간이었다. 만약 검소함이란 자질

117

이 선택할 수 있는 것이라면, 이를 택할 용기는 도대체 어디에서 찾아지는지 알고 싶었던 순간이었다. 바로 이 화장실에 처박혀 아주 조용히, 반장이 재고를 잘못 센 나를 두고 "안드레스는 덧셈도 못하면서 오늘 아침에 눈이 떠졌나 봐?"라며 모두 앞에서 나를 놀리던 날엔 경멸감을 곱씹었고, 동시에 이 공장 노동의 세계에서 자신이 동성애자임을 숨기지 않고 드러내던 동료의 모습에서는 경외감을 되새겼다. 그리고 바로 이곳에서 그 사실을 깨달았다. 언젠가 이 건물을 나가게 되면 다시는 과거로 되돌아갈 수 없겠다고.

동료들이 사실을 알았을 때 뭐라고 말할지 궁금해졌다. 더는 나를 말 없는 직원이나 조용한 청년으로 기억하지 않겠지. 보고타에 있는 비슷한 공장에서 전근해왔다는 것도 거짓임을 알 테고. 산타이네스에 살고 있지도 않을 테고. 배신자. 거짓말쟁이. 순진한 기자놈. 사기꾼. 날조자. 이 사막과 같은 시간을 모두 통과하고 나면, 나는 저중 뭘 갖다 붙여도 싼 놈이 될 것이다.

이 공장에서 일한 이후로, 성경의 은유가 기대했던 것보다 훨씬 더 자주 나를 찾아온다. 가끔 버스가 15분 정도 일찍 과야발 거리 모퉁이의 정류장에 도착한 날엔 근처 성당에 들렀다. 열세 살 때, 오후 5시로 맞춰놓은 알람이 울리면 그 자리에서 무릎을 꿇고 하늘에 계신

16   Buñuelo. 스페인에서 사순절에 먹는 도너츠의 일종.

우리 아버지께 기도를 올리곤 했는데, 그때 이후로 처음 느껴본 종교적 충동이었다. 교회 맨 끝 벤치에 앉아서, 그리스도상을 향해 오후 5시까지 버틸 힘과 함께 출근 카드를 찍는 시간이 너무 일찍 오게 하지 말아달라고 기도했다. 딱 두 번, 나는 이곳에서 루스 카스트로 여사를 보았다. 최종 작업반 반장인 루스 여사는 아마도 계속해서 자신을 올바른 길로 인도해달라고 기도했을 것이다. 나는 대충 기도문과 엇비슷한 것들을 중얼거린 다음, 밖으로 나가 빵집에 들러 100페소짜리 부뉴엘로[16]를 샀다. 공장으로 들어가 언제나 같은 화장실에서 작업복으로 갈아입기 전에, 그 빵이 성체라도 되는 것처럼 베어 먹었다. 그렇게 24주를 보냈다. 특별한 일 없이 매일 같은 일상이었지만, 지금까지의 내 삶과 완전히 다른 날들이었다.

　물을 내린 후, 화장실에서 나와 손을 씻고서 거울을 본다. 메데인에 오기 직전에 잘랐던 머리카락이 다시 자랐고, 거울 속엔 6개월 전의 기자 얼굴이 없다.

　나에게 편지와 함께 쿠키를 주었던 여공이 복도에서부터 내 이름을 부른다. 금방 음식이 도착했단다. 공장의 동료들이, 단 한 번도 자신이 누구인지 밝히지 않은 남자를 위해 케이크와 콜라를 준비했다. 이 사칭자를 위해 애정을 담은 환송회를 열어준 것이다.

지난 몇 달 동안 옷의 재고를 세던 탁자에 케이크가 놓여 있다. 각자의 플라스틱 컵에다가 차가운 음료를 채우는 건 반장이 맡았다. 모두 여기에 있다. 이사사 씨, 루스 여사, 최종 작업반 직원들, 내가 일하던 부서의 동료들. 한 주의 일이 모두 끝나는 금요일 오후에, 모두가 피곤한 기색이지만 미소를 잃지 않는다. 앞으로 뭐 할 거냐는 물음에 보고타에 괜찮은 일자리가 생겼다고, 가족이 보고 싶다고 둘러댔다. 그러고선 케이크를 먹는 데 집중한다. 달콤하다. 마지막으로 한 사람, 한 사람, 악수를 청하고 어떤 사람들과는 아주 깊게 포옹을 나눈다.

그러고선 다시 화장실로 간다. 옷을 갈아입고 49번 캐비닛에서 가방을 꺼낸다. 가방 밑바닥에서 필라르 여사가 매일 싸주던 점심 도시락통과 포크와 나이프가 달각거리는 소리를 낸다. 마지막으로, 카드를 찍고 여우 같은 눈빛을 가진 문지기와 마지막 인사를 나눈다. "아디오스." 출입구의 철문을 통과하여 오후의 햇살과 찝찝한 습도를 느낀다. 지금 시각은 5시다. 감옥에서 출소하는 장면이 담긴 영화들이 머릿속에서 줄줄이 스쳐 지나간다. 공장은 감옥이 아니다. 일터다. 수백만의 콜롬비아 국민이 일하는 곳과 똑같은 일터다.

버스 정류장으로 향하지 않고 거리를 따라 걷기 시작했다. 지난 몇 달간 길을 나설 때마다 귀에 꽂고 다니

던 라티나 스테레오를 이번에는 듣지 않는다. 지난주부터 살사를 듣지 못했었다. 휴대용 플레이어의 배터리가 다 되었지만 새 건전지 두 개를 살 돈이 없었기 때문이다. 1500페소가 필요했던 그 주는 메데인에서 지낸 중 가장 길고 슬픈 한 주로 기록되었다. 거리를 걷고, 또 걸어서 최대한 멀리, 공장의 누구도 나를 찾아볼 수 없는 곳에까지 도착했다. 그러고 나서 울었다. 태어나서 그렇게 울어본 적이 없을 정도로 정신없이 오열했다. 웃음과 눈물은 신이 만든 두 가지 길이라고, 대학교 때 한 친구가 얘기했었다. 칸트주의 철학자였던 그 친구는 졸업 후 한 번도 보지 못했다. 공장의 동료들도 이제 다시 볼 수 없을 것이다.

$

밤 9시다. 브리사스데코스타리카는 메데인 중심가에 있는 살사 바로 여기에 온 후 적어도 보름에 한 번은 들른 곳이다. 한 커플이 춤출 준비를 하고 있다. 여자는 몸무게가 100킬로그램 정도 되어 보이는데, 하늘 속 구름을 헤쳐 나가는 열기구처럼 아름다웠다. 하얀 얼굴에 자신을 바라보는 시선들을 의식한 듯 눈빛이 서글펐다. 이곳에서 그와 비슷한 여자들은 별로 춤을 추지 않는다.

125

17   Tumbadora. 툼바, 콩가라고도 부르는 쿠바의 길고 폭 좁은 북.

사실대로 말하면 아예 이런 데 올 생각도 않는다. 그의 파트너인 남자는 반대로 꽤 마른 편이다. 대조되지 않으려는 의도인지 남자는 무릎까지 닿을 정도로 커다란 재킷을 입었다. 토냐 라 네그라의 볼레로가 한 곡 흐르자 둘은 느릿느릿 춤추기 시작한다.

오늘은 이 바의 DJ인 알리리오를 마지막으로 보는 날이다. 내일 아침에 보고타로 돌아가기 때문이다. 브리사스데코스타리카는 나에게 열 시간의 노동이 끝나고 드디어 다리를 뻗을 수 있는 피난처이자 벙커였다. 나만의 공간이 된 이곳과 작별 인사를 했다. 독신 남자가 삼삼오오 모여들어 한 주간의 노동을 땅에 묻고 툼바도라[17] 리듬과 트럼펫 멜로디에 맞추어 정신없이 몸을 흔들어대는 곳이다. 크리스마스 전등이 곳곳에 장식처럼 걸려 있는 브리사스는 매일 오후 맥주를 주문하는 남자들로 가득 찬다. 이들은 혼자서 살사나 맘보를 춘다. 갈 때마다 비슷한 풍경이다. 휠체어에 앉은 남자는 항상 입구 근처에 자리를 잡고, 지역 보건부에서 일하는 뚱뚱한 남자는 혼잣말을 한다. 아찔한 힐에 머리카락을 높이 세운 중년의 여자친구를 데려오는 젊은 건축가도 있다. 그리고 기예르모 레온이 있다.

5개월 전, 기예르모 레온이 춤추는 것을 처음 보고 최면에 홀린 기분이 되었다. 몸의 움직임이 예사롭지

127

않았는데, 살사의 세련된 스텝이 브레이크댄스를 만난 것 같았다. 그날, 검은 정장을 입고 무거운 시계를 찬 기예르모와 맥주를 함께 마셨다. 그는 살사의 본토인 뉴욕에서 춤을 배웠다. 1970년대에 한 이탈리아인 밑에서 일했는데 춤도 가르쳐주었다는 것이다. 그때부터 스텝을 잊지 않으려고 노력했다. 대리석 바닥을 미끄러지며 발을 구르는 법과 가슴께에서 손을 흔드는 법, 미소를 놓치지 않는 법까지 전부. 나도 출근 전, 아침에 샤워할 때마다 따라 해보곤 했다.

두 번째 볼레로에 맞춰 춤을 추는 커플을 구경하자니, 문득 기분이 이상해졌다. 공장으로 다시 돌아가려고 하는 몸에게, 그 건물이 아니면 돌아갈 곳이 없을 것 같은 나에게 '내일은 공장에 출근하지 않아도 돼.'라고 스스로 일러준다. 브리사스에서 내 자리는 항상 정해져 있다. 입구 왼쪽 테이블. 거기에 앉아 있으면 테헬로 거리를 지나는 사람들을 구경할 수 있다. 망고와 생선, 소시지 냄새가 섞인 도로변으로, 속옷만 입은 부랑자와 탄산음료에 소독약을 섞은 병을 손에 쥔 알코올 중독자가 보이는 곳이었다. 또 볼리바르 광장의 여왕이라고 불리며 하룻밤에만 네 벌의 옷을 갈아입는다는 50대의 크로스드레서도 있는데 바구니통에 담배와 껌, 콘돔을 들고 다니면서 판다. 붉은 실크 원피스를 입고 은

129

18   Charanga. 플루트, 바이올린, 비올라나 첼로, 피아노, 베이스, 콩가,
         팀발레스 등으로 구성되는 쿠바 대중음악의 악기 편성 방식, 혹은 그렇게
         연주되는 춤 음악을 이른다.
19   스페인어로 무당벌레라는 뜻.

색 가발 위에 티아라 왕관을 쓴 채다. '다니'라고 불리는 그 역시 의류 공장을 다니다가 은퇴했다. 사랑에 여념이 없는 커플이 자리로 돌아가기 전에 다니에게서 담배 한 갑을 샀다. 유일한 종업원인 스텔라는 다니를 보고 달갑지 않게 인사했다. 알리리오는 다니를 보더니 빠른 리듬의 노래로 바꿨다. 5초 전부터 흐르던 차랑가[18]의 가사는 이랬다. "마리키타, 마리키타."[19] DJ는 꼭 고무총으로 개를 맞춘 아이처럼 킬킬댔다. 다니는 내 앞으로 다가와 인사도 없이 자기가 파는 물건을 보여줬다. 처음 사람들이 그를 나에게 소개해준 날, 나는 그가 여성이란 사실을 깜박하고 손을 뻗어 힘차게 악수한 뒤로, 그가 내게 품은 미움은 되갚을 길이 없었다.

지금쯤이면 앙헬리카와 로사리오가 바에 도착할 때가 되었다. 앙헬리카의 절친한 친구인 로사리오가 산타이네스의 방을 구해준 그 로사리오다. 알리리오가 한 번 더 노래를 바꾼다. 「엘 포이노」가 흐른다. 그 순간, 나의 출근길이 머릿속에서 완벽하게 재구성된다. 아침에 집에서 나와 모퉁이에서 합승 택시를 타려고 기다리는데 내 작은 라디오에서 이 노래가 나왔다. 잠을 설친 날이었다. 비가 왔는데 우산도 없었다. 우리 동네를 지키던 티그리요도 웬일인지 줄을 정리하러 나와 있지 않았다. 하지만 그토록 선명하고 경쾌한 맘보 리듬을 몇 마

디 듣고 있으니 다시 활력이 솟았고 그날의 노동을 해치울 기운이 났다. 지난 6개월 동안 나는 매일 아침 라디오에서 흐르는 그 노래들이 나의 하루를 구원하는 일상을 살았다. 물론, 잘 모르는 누군가가 무더운 오후에 나에게 건넸던 모라 주스 한 잔도 나를 살렸더랬다.

휠체어에 앉아 있는 손님도 나처럼 「엘 포이노」를 좋아하는 게 틀림없다. 눈을 감고 음악을 감상 중이다. 어쩌면 미친 듯이 빙글빙글 돌며 춤추던 기억을 떠올리는지도 모른다. 잘못 쏜 총알에 맞아 휠체어 신세를 지기 전의. 그는 아주 옛날부터 이 바의 단골이었다고 한다. 이는 하나 없지만, 미소가 예쁜 종업원 스텔라가 해준 얘기다. 가벼운 지적장애를 지닌 친구가 스텔라에게 반해, 매일 밤에 브리사스에 들른다. 담배를 선물하고는 스텔라에 앞에 앉아 아주 천천히 담배를 피워달라고 그는 스텔라에게 부탁한다.

맘보가 끝났고 3초 정도 정적이 흘렀다. 이제 빈 테이블은 없다. 「데사파리시오네스」가 나오기 시작한다. 루벤 블라데스의 아주 느린 곡이다. 지금 브리사에 있는 손님 중 일부는 피 묻은 범죄를 어깨에 짊어진 사람들이고, 이 노래는 그들을 긴장하게 만든다. DJ 알리리오는 이 노래를 통해 메데인에서 있었던 일들을 그들에게, 그리고 우리에게 환기하려는 것 같다. 그런 남자 하

나가 나에게 말을 걸었다. 옆 테이블에 앉아 있었는데 나에게 아구아르디엔테 한 잔을 건넸다. 나는 마침 맥주 두 병 정도 마실 돈밖에 남아 있지 않던 터라 반갑게 받아 마셨다. 그 순간에는 가지고 싶은 걸 가지지 못해서 느끼던 이전의 고통이 더는 느껴지지 않았다. 포기인지 체념인지 무력감인지 모르겠지만, 언제라도 천주교의 박애나 불교의 긍휼처럼 반짝이는 무언가를 지닌 사람이 나타나 나에게 200페소를 빌려주어 합승 택시를 타게 된다든지, 아구아르디엔테 한 잔을 얻어 마시게 되는 일이 생길 수 있다는 걸 안다. 돈이 엄청 많은 시점과 마찬가지로, 돈이 엄청 없는 어느 시점에 도달하면 사실 돈은 그다지 상관없어지고 달관하는 듯한 경지에 이르렀다. 상대방이 갚을 수 있는지 개의치 않고 대접해준 아구아르디엔테 한 잔······.

나에게 술을 한 잔 사준 그 남자는 민머리에 택배회사 유니폼을 입고 있었다. 덩치가 컸고, 같이 온 친구가 그를 '네그로'라고 불렀다. "네그로, 이거야." "네그로, 다른 거야." 술 석 잔이 들어가니 자기 인생을 읊어대기 시작했다. 원래 군인이었던 그는 메데인 서쪽 우라바 지역에서 복무했다. 때는 1990년대 말, 그 지역의 바나나 농장의 농부들이 대량으로 학살되었다. 게릴라에 협조했다는 이유에서였다. 그는 그 학살에 참여한

군인이었다. 3년 후 그는 전역하고 나서 원래 살던 동네인 13구역의 산하비에르로 돌아왔다. 그러고선 3개월을 죽은 듯이 지냈다. 어느 날 새벽, 친구와 술을 마시고 집으로 돌아왔는데 문 앞에서 누군가가 자기를 기다리고 있었다.

폰초를 입은 절름발이였어. 절름발이.

내 눈을 보면서 마지막 단어를 반복했다.

그 절름발이는 다름 아닌 파블로 에스코바르의 후계자, 디에고 무리요였다. 무리요는 그에게 자기 밑으로 들어오라고 했고 그렇게 네그로는 산하비에르에서 몇 년 동안 그의 행동대장 일을 맡았다. 지금은 택배 트럭을 몬다.

나는 그저 아무개 씨야.

이야기를 끝내며 내게 말했다.

그날 밤 흐르던 발라데스의 노래는 이런 내용이었다. 중저음의 목소리로 불리던 노랫말이 분명하게 기억이 난다.

137

사라진 사람들은 어디로 가는 걸까
물 아래와 덤불 속을 찾아봐
도대체 무슨 이유로 사라졌을까
우리가 모두 같은 인간이 아니기
때문이겠지

노래가 끝나자 네그로가 나에게 말했다.

정말 많은 사람을 죽였어. 너무 많아서 이
제는 밤마다 울면서 잠에서 깨지. 이거 한
잔만 하고 일어나세. 이제 차를 갖다대야
겠어.

네그로는 나를 꽉 안고서 유니폼을 걸친 채 문밖으로
나갔다. 지난 반년간 세상에서 가장 위험하다던 도시에
살았지만, 그 순간 처음으로 나는 다리가 후들거렸다.
앙헬리카와 로사리오가 브리사스에 도착했을 때,
나는 이미 취한 상태였다. 시간은 10시, 이 도시에서의
마지막 밤이다. 투토콜로레에서 받은 퇴직금으로 루벤
씨와 필라르 여사에게 줄 선물을 샀다. 오디오를 샀는
데 거실에 사진을 진열해둔 테이블 옆에 놓아두길 바
라는 마음에서였다. 내일 그 거실에서 모여서 훈제향이

20   frijoIes. 익힌 강낭콩 따위를 기름에 볶거나 튀긴 요리인데, 멕시칸
       음식에 사이드디쉬로 곁들이거나 토르티아에 넣어서 먹는다.

나는 프리홀레스[20]를 함께 먹기로 했다. 나는 아구아르디엔테 더블 샷을 마셨고 내 친구들과 잔을 부딪쳤으며 옆 테이블에 앉아 있는 흑인 손님에게 손을 뻗어 인사를 했다. 항상 웃고 있는 그의 치아는 눈부시게 빛났다. 워낙 많은 밤들을 브리사스에서 보냈기 때문에 알리리오가 트는 노래들을 대부분 알게 되었다. 지금 나오는 곡은 「몬타냐 루사」. 나는 일어나 무대 한가운데서 혼자 춤을 추기 시작한다. 처음으로 추는 춤에 나의 친구들이 박수를 보낸다. 놀랍게도 기예르모 레온의 발놀림을 어렵지 않게 흉내 내고 있다. 산타이네스의 우리 집에서 매일 아침 샤워하면서 연습한 게 어디 가지 않은 것 같다.

브리사스데코스타리카의 댄스 플로어에서 홀로 춤추는 동안, 바로 이게 내가 메데인으로 온 이유가 아닐까 하는 생각이 들었다. 기사 따위를 쓰는 게 아니라. 집으로 가지고 갈 훌륭한 얘깃거리는 없다. 만난 여자도 없고 대단한 깨달음도 없다. 그저 눈을 감은 채, 삶이라는 건……

바다의 파도가 울렁거리듯
오르락내리락하는 롤러코스터

142

……라는 걸 잊지 않으려고 노래를 부르면서 뱅글뱅글 돌 뿐이다. 늘 어떤 것이 다가오고, 늘 어떤 것이 떠나간다. 그것이 우리의 비극인 동시에, 유일한 희망이다.

2007년 콜롬비아의 최저임금은 48만 4500페소, 한화 약 25만 원이었고 그때 한국의 최저임금은 주 40시간 기준으로 약 72만 원이었다. 15년 정도가 흐른 지금, 한국의 최저임금은 191만 원으로 2.7배 정도로 올랐고 콜롬비아의 최저임금은 100만 페소로 2.3배 정도로 올랐지만, 환율을 놓고 따져보면 콜롬비아의 최저임금이 여전히 30만 원이 채 안 된다. 콜롬비아는 한국보다 못 사는 나라니까 하고 단순히 넘겨짚기는 어렵다. 나는 2009년부터 2011년까지 보고타에서 3년여를 살았는데 그곳에서 쓰던 생활비가 서울에서 쓰던 돈보다 많았다. 겉으로 보기에 사회계급은 없어졌지만, 경제계급이 무척 선명하던 그곳에 살면서 강도보다 일상의 괴리가 더 무섭고 절망적이었다. 나는 매일매일 그 괴리를 마주하기 괴로워져서 콜롬비아를 떠났다.

2007년, 하던 일을 모두 그만두고 메데인에서 최저임금으로 6개월을 사는 프로젝트를 끝낸 안드레스는 한국으로 왔다. 이 글에서 얘기한 것처럼, 과거의 남자는 사라지고 보고타로 돌아와 다시 빈 캔버스 앞에 섰을 때 갑자기 걸려 온 전화 한 통 덕분에 다시 가방을 쌌다. 이듬해인 2008년, 안드레스는 한국에서 나를 만났고 지금까지 서울에서 함께 살고 있다.

같이 콜롬비아를 떠난 지 벌써 10년이 넘었다. 2년

에 한 번씩 방문하는 콜롬비아에서 빈부의 격차를 목격할 때마다 나는 안타까움을 느낄 뿐이지만, 안드레스에게는 그 이상이라는 걸 안다. 태생적인 결함처럼 자신의 잘못이 아님에도, 안고서 살아가야 하는 짐 같은 것이다. 최저임금을 받던 때로 돌아가 수행하듯 살아가지도 못하고, 친구들과 아무 생각 없이 술값으로 돈을 펑펑 써대지도 못하는, 이러지도 저러지도 못하는 삶.

언젠가부터 나는 콜롬비아에서 미래의 한국을 본다. 서서히 계속해서, 지난 10년간 한국에서 빈부의 격차가 벌어지고 있다는 걸 체감한다. 지금은 아무도 모르지만, 이렇게 가다가 결국 감당할 수 없을 정도가 되었을 때 우리의 사회가 어떻게 될지 나는 본 것이다.

한 작가의 존재론적 고뇌와 낭만적인 문체로 마음을 울리는 이 글은, 그렇기에 우리 사회의 경종을 더욱 크게 울린다. 2022년, 최저임금이라는 단어가 다시 사회적 논란의 주제가 되는 현실 앞에서, 이 책을 통해 숫자를 숫자로만 보는 것이 아니라 삶으로 보게 되기를 바란다.

2022년 5월
옮긴이 이수정

안드레스 펠리페 솔라노 Andrés Felipe Solano. 콜롬비아
보고타에서 태어나 로스안데스 대학에서 문학을 전공했다.
2007년 첫 장편소설『나를 구해줘, 조 루이스』를 발표한
후,『쿠에르보 형제들』과『네온의 묘지』를 출간했다.
이듬해 콜롬비아 메데인의 공장에서 반년간 일하고
지낸 기록『살라리오 미니모』를 발표했다. 2010년 영국
문학잡지《그란타》의 스페인어권 최고의 젊은 작가 22인에
선정되었으며 한국에서의 삶을 기록한 에세이『한국에
삽니다』로 2016년 콜롬비아도서상을 수상했다. 서울에
거주하며 문학을 가르친다.

이수정. 서울대학교에서 국악을 전공했다. 한국에서
외국인을 대상으로 한국어를 가르치다가 안드레스
솔라노를 만나 3년간 콜롬비아에 거주했다. 이후 스페인
살라망카 대학에서 한국 대중음악을 주제로 석사학위를
받았고, 마드리드에 있는 한국문화원에서 연구원이자
프로그래머로 활동했다. 현재 서울에서 음악기획자로
일한다.『대중음악 히치하이킹하기』를 썼고,『한국에
삽니다』,『열병의 나날들』을 옮겼다.

김미래. 기획, 인터뷰, 브랜딩 등 경계 없이 일하지만,
그 중심에는 쪽프레스와 고트가 있다.『호주머니 속의
축제』(민음사, 2019)의 헤밍웨이 부부 같은 인상으로
솔라노와 이수정 부부를 인식하고 있다. 여유와 노동을,

콜롬비아와 한국을, 가족과 저작−번역 협업 관계를
스위치해나가는 그들은 안정적이기보다 늘 자유로워
보인다. '최저임금'이라는 건조하고 간명한 우리말로
옮기고 나면, 이 기록에서 나고 들리는 시큼한 땀냄새와
남미 리듬이 지워질 것 같았다. 그래서 콜롬비아의 음식이나
춤곡 이름이라고 해도 속을 '살라리오 미니모'라는 꽤 묘한
제목으로 이 책을 소개한다. 『살라리오 미니모』는 정의
(正義, 定義)를 담지 않았기에, 읽은 사람으로 하여금 오히려
그것들을 모색하게 하는 글이다.

김태웅. 쪽프레스와 고트를 운영한다. 솔라노가 6개월간
메데인에서 지내던 2007년, 나는 열아홉 살이었고,
서울에서 최저임금을 받으며 파트타임 생활을 하고 있었다.
이 책에 묘사된 사람들과 달리, 나는 오히려 무지막지할
정도의 가능성을 헤매고 있었다. 15년이 흐른 지금도,
정해진 저녁과 정해진 내일은, 나에게 없는 것 같이
느껴진다. 『살라리오 미니모』조차 나에게는 익숙하지 않은
작가, 번역가, 디자이너와 손발을 맞추는 낯선 무엇이었다.
책에 실으면 좋겠다고 가져온 수백 장의 폴라로이드
사진들을 함께 추리며, 낮부터 차가운 맥주를 마실 때는
폴라로이드 속 솔라노와 함께 있는 기분이었다.

강문식. 그래픽디자이너. 종이를 별미로 삼는 염소에게 가장
먹음직해 보일 책을 목표로 이번 작업을 수행했다.

살라리오 미니모
SALARIO MÍNIMO

1판 1쇄 찍음 2022년 5월 20일
1판 1쇄 펴냄 2022년 6월 1일

글 • 안드레스 펠리페 솔라노
번역 • 이수정
편집 • 김미래
디자인 • 강문식

펴낸이 김태웅
펴낸곳 goat

출판등록 • 2016. 6. 1. 2018-000235호
주소 • 서울시 마포구 백범로48 2층 SPINE

goat는 종이를 별미로 삼는 염소가 차마 삼키지 못한
마지막 한 권의 책을 소개하는 마음으로, 알려지지 않은
책, 알려질 가치가 있는 책을 선별하여 펴냅니다.

🌐 jjokkpress.com
📷 jjokkpress, spineseoul